KB013207

• 본 도서는 저자 개인의 경험과 의견으로 작성됐습니다.

원소주: 더 비기닝

원하는 것을 원 없이 즐기는 사람들의
한계 없는 도전

김희준 지음

미래의창

추천사

원소주 제작 초창기에 합류하여 틀에 갇히지 않은 생각과 모든 열정을 쏟아부었던 희준 CCO의 여정이 글로 담기고 기록된 책이다. 원소주에 관심 있는 사람이라면 꼭 읽어보길 바란다.

박재범 원스피리츠&모어비전 대표

브랜드를 만든다는 것은 혼자서 할 수 없는 일 같다. 그는 주변에 좋은 에너지를 전해주는 사람이고, 그래서 그의 주위에는 항상 좋은 사람들이 가득하다. 이 책은 원소주가 그런 저자의 에너지와 경험, 그리고 그가 만든 사람들과의 관계가 있었기에 가능했음을 보여준다. 브랜드를 만들고자 하는 사람이라면 이 책에서 그 방법을 배울 수 있을 것이다.

이성규 ㈜버널문 대표, 유튜버 기우쌤

최근 어떤 인터뷰에서 이런 문장을 보았다. “우리 능력에 대한 무모한 확신을 갖자.” 이 책도 무모한 확신을 갖고 도전한 한 사람의 이야기다. ‘원소주’ 브랜드 탄생기처럼 보이지만, 결국 '나'라는 사람도 용기를 갖고 뭐든 해볼 수 있다고 용기를 주는 책이다. 꿈의 크기에 따라 삶의 크기도 달라진다고 믿는 나로선 이 책을 보면서 한 번 더 확신했다. 나라는 사람도 할 수 있다는 믿음, 어떤 일이든 내가 해낼 것 같다는 확신. 본인의 꿈이 너무 작아 보인다거나, 무언가를 도전하기도 전에 힘에 부친다면, 지금 바로 이 책을 집어 들기를 바란다. 당신에게 무한한 확신을 줄 테니.

이승희 브랜드 마케터, 《일놀놀일》, 《별게 다 영감》 저자

이 책은 한 사람의 아이디어, 깊은 열정과 치열한 아집이 원소주라는 브랜드로 태어나는 과정 그 자체를 온전히 담아내고 있다. 브랜딩이란 단어가 넘쳐나는 요즘. 작은 브랜드를 준비하는 입장으로서 단순한 시각적 디자인을 넘어 한 철학이 상품으로 구현되는 진정한 브랜딩에 대한 힌트를 얻을 수 있다.

이원지 유튜버 원지의하루, 《제 마음대로 살아보겠습니다》 저자

감각의 시대. 원소주는 열광적 팬덤을 보유한 이 시대 가장 감각적인 브랜드다. 그 감각을 배우고 싶은 분들게

이 책을 권한다. 과감한 발상과 치밀한 실행, 그 뒤에 숨은 열정과 용기를 만날 수 있을 것이다.

임미진 타임앤코(롱블랙) 대표

박재범 덕에 원소주 맛을 알게 되었다면, 저자의 열정은 원소주의 깊이를 더했다. 이 책은 그들의 시작이자 앞으로의 WON이 가는 길을 기대하게 만든다.

정찬성 UFC 파이터

언제나 새로운 도전은 가슴을 설레게 한다.
원소주로 GS25와 함께 대한민국 증류 소주의 역사를 다시 쓴 파트너로서, 편의점이 대한민국 주류酒類의 주류主流를 바꾼 2022년. 뜨거운 도전의 한 해를 함께 만들어온 개척자이자 탐험가의 면모를 갖춘 김희준, 그의 이야기는 더 많은 사람들에게 새로운 도전을 두려워하지 않는 용기와 설렘을 줄 것으로 기대한다.

허연수 GS리테일 부회장

프롤로그

경험을 증류하다

한두 개 직업으로 인생을 재단하는 게 좀 억울하다고 생각했다. 마흔 살의 17년 차 직장인으로 살면서 홈쇼핑 쇼핑호스트부터 제약회사 영업사원, 브랜드 마케터, 그리고 내 사업체까지 안 해본 일이 없다. 나는 다른 사람들이 가지 않은 길에 대한 '다름'의 열망이 있었고, 일단 해보는 거지라는 '용기'도 충만했다.

2004년 아테네 올림픽과 2006년 독일 월드컵을 응원단장으로 다녀오기도 했고, 수습 사원 시절 회사에서 보유하고 있던 게임단의 억대 스폰서십을 따내기도 했으며, 지금처럼 라이브 커머스가 대세가 되기 훨씬 전인 2008년 삼성의 NC10이라는 넷북을 PC 기반 라이브 커머스 방송에서 판매해 억대 매출을 올리기도 했다. 보수적이라는 제약회사에서 교수들을 대상으로 정장과 명함 대신 빨간 축구 유니폼과 월드컵 응원 도구로 따낸 매출 덕분에 신입사원 최초로 제약 관련 신문 메인에 인터뷰 기사가 실리기도 했다.

그렇게 스스로 승승장구하고 있다고 느꼈던 때 위기가

찾아왔다. 브랜드의 B자도 몰랐던 내가 브랜드를 만드는 회사에 다니다 말고 내 브랜드를 만들겠다고 박차고 나온 것이다. 당연히 잘될 거라는 자신감만큼 잘되지 않았다. 그렇게 첫 사업을 말아먹고 휴식 겸 떠난 대만 여행에서 대만 관련 글을 블로그에 올렸는데, 누군가 대만 카페를 해보자는 제안을 했다. 지금 생각해보면 완벽하게 이상하다고 여겼을 텐데 그때는 의심도 하지 않았다. 결국 혼자서 몸과 영혼을 갈아넣다 건강에 적신호가 왔다.

뭐든 할 수 있다고 생각했고, 이왕이면 큰 자리에서 대단한 일을 하고 싶었다. 하지만 엄청나게 대단한 일도 처음에는 별것 아닌 것에서 시작한다(원소주의 시작도 그랬다). 원하는 일이 있다면, 원하는 일을 하고 싶다면 그 일을 할 수 있는 능력이 될 때까지 끊임없이 배우고 준비해야 한다. 기회는 누구에게나 오지만, 기회를 성공으로 만드는 것은 준비된 사람만이 얻을 수 있는 결과다. 나는 그렇지 못했지만, 이 경험들은 고스란히 증류되어 다시 찾아온 기회를 성공으로 만드는 발판이 됐다.

사람들은 원소주에 대해 '박재범'이라서 성공했다고 이야기한다. 하지만 조금만 자세히 보면 단순히 박재범이라서가 아니라 그의 노력, 원스피리츠의 노력이 있었기에 이뤄낼 수 있었던 성과라는 것을 알게 될 것이다.

이 책은 원소주의 시작부터 제작 과정, 브랜딩, 유통, 향후 계획까지 원소주에 관한 모든 비하인드 스토리를 담았다. 우리가 원하는 것을 원 없이 즐기기 위해 어떤 새로운 시도와 도전을 끊임없이 했는지 확인하길 바란다. 단순히 제품을 만들어 소비자에게 판다는 생각으로 이 일을 시작하지 않았다. 우리는 문화를 바꾸고 싶었고, 새로운 문화를 만들고 싶었다.

나는 종종 '살면서 이런 브랜드를 다시 만들 수 있을까?'라는 생각을 한다. 원소주는 주류 카테고리는 물론이고, 제조업 카테고리로 확장해도 거의 모든 제품의 벤치마킹 사례로 꼽히며 2022년 가장 주목받은 브랜드가 됐다. 우리는 이 모든 성과를 우리의 노력만으로 이뤘다고 생각하지 않는다. 우리 것에 관심을 갖고 전통주를 사랑해준 모든 사람들이 함께 이뤄낸 일이다. 우리는 그들에게 우리도 해냈으니 당신도 할 수 있다고 말하고 싶다.

"내가 행복한 일을 하자.
그리고 그 일을 할 수 있는 능력이 될 때까지는
끊임없이 배우고 준비하자."

이 책은 이론에 치중하기보다 브랜드가 빌드업되는

과정을 세세하게 기록했다. 원소주가 했던 판단과 행보를 통해 ‘나도 브랜드를 만들 수 있겠다’, ‘이런 부분은 이렇게 적용하면 되겠다’, ‘마케팅은 이렇게 하는 거구나’ 등 무한한 영감을 얻길 바란다.

차례

3 +WON한다면

4 ×WON 없이 놀자

5 WON데이

1

우리는 술을
즐기기 힘든 세상에
살고 있다

그는 왜 소주를 선택했는가

"It's the end of the day, all my bills paid.

So we bout to get lit off the soju."

"오늘 하루가 끝났어, 돈 낼 거 다 냈어. 이제 소주로 취하러 가자."

2018년 박재범은 'SOJU'라는 제목의 노래를 낸 이후 공공연하게 "소주를 만들 거다"라고 이야기해왔다. 그리고 4년 만에 그는 정말 소주를 만들었다. 할리우드에서는 아티스트가 자신의 이름을 내건 술 브랜드를 만드는 것은 흔한 일이다. 힙합 가수 제이지와 비욘세 부부는 샴페인 브랜드 '아르망 드 브리냑Armand de Brignac'을 인수해 브랜드 가치를 5배 이상 올렸고, 저스틴 팀버레이크도 테킬라 사업을 하고 있다. 배우 조지 클루니와 라이언 레이놀즈, 축구선수 데이비드 베컴까지 모두 자신의 이름을 내건 술 브랜드가 있다. 당시 해외 활동이 많았던 박재범은 'SOJU'를 홍보하면서 사람들에게 소주를 선물했는데, "네 브랜드냐"고 많이 물어봤다고 한다. 이 질문에 그는 이런 생각이 들었다고 한다.

'전 세계 유명 바bar에
한국 소주가 양주들 사이에 있다면 얼마나 멋질까.'

부어라 마셔라 싫어요

가끔 생각해본다. 그가 부른 노래가 막걸리나 다른 술이었다면 어땠을까? 수많은 술 중에 소주였던 건 우연 같은 일일지 모르겠지만, 우리가 원하는 술을 떠올려보면 '소주일 수밖에 없었겠구나' 싶다. 필연적인 결과다. K-팝을 시작으로 K-뷰티, K-푸드 등 전 세계적으로 K-문화가 주목받던 시기였고, 자연스럽게 소주나 막걸리와 같은 우리나라 술의 인기도 높아지고 있었다. 박재범은 누구보다 빠르게 이러한 흐름을 읽었다.

한국 사회를 말할 때 '술'을 빼고 이야기할 수 있을까? 술은 사회생활의 상징 같은 것이었다. 회사 회식도, 대학 오리엔테이션도, 누군가의 환영회나 송별회도 술은 언제나 주인공 역할을 했다. 술이 주인공이었기에 우리는 선택권이 없었다. 그런 자리가 싫어도 참석해야 했고 술을 못 마셔도 마셔야 했다. 내가 술을 마시는지 술이 나를 마시는지도 모른 채 만취 상태가 되어서야 그 자리를 빠져나올 수 있었다.

나는 술을 사랑한다. 이렇게 말하면 열에 아홉은 주량을 묻는다. '술을 좋아한다=술을 많이 마신다=술이 세다'라는 공식이라도 있는 것처럼 말이다. 하지만 내가 술을 사랑하는 것은 술의 향과 맛 때문이다. 이렇게 말하면 또 열에 아홉은 '술의 향과 맛이라고? 알코올 맛과 향만 나는데'라고 할 것이다. 나는 이런 사실이 안타까웠다. 술의 원재료가 가진 향을 즐기고, 술이 주는 깔끔함과 목 넘김이 주는 맛이 얼마나 매력적인지 알려주고 싶었다. 더는 이기지 못하는 술 앞에 객기부리는 일 없이, 만취와 주취자로 얼룩진 술 문화를 지우고 술을 제대로 즐겼으면 했다.

우리는 대한민국을 대표하는 술 브랜드가 되길 원했다기보다는 우리나라의 좋은 술을 좀 더 많은 사람들이 즐겼으면 하는 바람이었다. 그러려면 우리나라 사람들이 가장 좋아하는, 가장 많이 마시는 술이어야 한다고 생각했다. 그게 소주였다. 하지만 같은 소주이긴 싫었다. 소주지만 소주답지 않았으면 했다. 우리는 소주로 인해 파생된 술 문화가 싫었다. 부어라 마셔라 하는 술 문화, 내일이 없는 듯 오늘 먹고 죽자를 외치는 술 문화, 술의 맛과 향도 느끼지 못한 채 엄청나게 마셔대기만 하는 그런 술 문화를 주도하는 소주가 되고 싶지 않았다.

위스키는 보리, 와인은 포도, 막걸리는 쌀 등 술은 원재료의 풍미를 담고 있다. 그런데 유독 가장 대중적인 소주에서는 이를 느끼기 어렵다. 우리가 알고 있는 소주는 희석稀釋식 소주로 값싼 농작물을 원재료로 사용한다. 여기서 에탄올 함량 95% 이상의 주정酒精을 얻어내 물을 타서 알코올 함량을 낮추고 단맛이 나는 감미료와 신맛을 내는 산미료 등을 넣는다. 브랜드에 따라 물과 감미료, 산미료 등을 넣는 비율이 달라 맛의 차이가 있지만, 이 과정에서 원재료의 풍미가 대부분 날아가 특징 없는 술이 되어버린다. 가까운 일본의 술 사케만 해도 사케별로 느껴지는 맛과 향이 매우 다르다.

그래서인지 우리나라 사람들은 술을 마실 때 맛과 향을 느끼며 마시지 않는다. 그런데 여기서 꼭 짚고 넘어가야 할 것은 우리나라 사람들이 술의 맛과 향을 즐기지 않는 것은 아니라는 사실이다. 와인이나 위스키를 마실 때를 생각해보라. 향부터 음미하고 풍미를 느끼기 위해 입 안에서 굴리듯 마시지 않는가? 나는 소주가 충분히 그럴 수 있는 술이라고 생각한다. 제대로 된 소주의 맛과 향을 느낀다면 더는 부어라 마셔라 식의 술 문화는 없을 것이다. 우리는 소주를 만들지만, 그 너머에는 술 문화의 패러다임 시프트paradigm shift를 원하고 있었다.

원하니 WON했다

2019년 스코틀랜드를 대표하는 블렌디드blended 위스키[♦] 발렌타인Ballantine's 브랜드의 초청으로 스코틀랜드 증류소 투어를 가게 됐다. 《에스콰이어》, 《GQ》, 《아레나》, 《럭셔리》, 《노블레스맨》 등 우리나라 최고의 매거진 편집장과 에디터들이 참석한 행사였다. 이 행사에 유일하게 여행 인플루언서 한 명이 초대됐는데, 그게 바로 나였다. 여행 쪽에서는 나보다 훨씬 유명하고, 대단한 친구들이 많았기에 내가 초대됐다는 것이 지금 생각해도 신기하다. 아무래도 술을 생활화(?)하며 얻게 된 '술플루언서(술+인플루언서)'라는 포지셔닝이 다른 여행 인플루언서들과는 차별화됐던 것 같다.

스코틀랜드 애버딘Aberdeen이라는 태어나서 처음 듣는 도시를 가기 위해 경유했던 네덜란드 암스테르담(하이네켄 맥주의 본고장)에서 마신 하이네켄 생맥주의 여운이 가시기도

♦ 세계 위스키 시장의 대부분을 차지하는 위스키의 한 종류로, 몰트malt 위스키(보리의 엿기름인 맥아가 주원료)와 그레인grain 위스키(호밀, 밀, 옥수수 등 다양한 곡물을 혼합)를 적당한 비율로 혼합한 술이다. 사람들이 위스키 브랜드 중에 가장 많이 들어본 조니 워커, 시바스 리갈 등이 모두 블렌디드 위스키다.

전에 우리는 애버딘에 도착했다. 개인적인 느낌은 경상도에 있는 사천공항 정도로 정말 작고 아담한 지역 공항이었다. 그런 시골 공항에 아시아인이 10명 넘게 내렸으니 그들도 적잖이 당황하는 것이 느껴졌다. 당시 아시아인의 밀입국 이슈가 있어서 유독 입국 과정이 까다로웠던 상황이었으나, 페르노리카Pernod Ricard♦ 초청으로 왔다는 말에 모두의 표정이 일순간에 밝아지며 환대로 바뀌었다.

스코틀랜드 사람들에게 위스키는 삶 그 자체다. 전 세계에서 가장 유명한 위스키가 스카치(스코틀랜드) 위스키고, 스카치위스키의 70%에 가까운 브랜드가 애버딘 인근 스페이사이드Speyside 지역에 증류소를 두고 있다. 이곳 사람들의 위스키에 대한 자부심은 지금 내가 원소주에 느끼는 자부심과 같다고 생각하면 될 듯하다.

애버딘에서의 첫 번째 목적지는 발렌타인 위스키의 전통 제조 방식이 그대로 남아 있고, 발렌타인 직원들도 교육의 필수코스로 온다는 글렌토커스Glentauchers(발렌타인 제품 중 하나) 증류소였다. 끝없이 펼쳐진 보리밭과 족히 100년은

♦ 세계에서 일곱 번째로 큰 프랑스 주류회사로, 위스키 시장 점유율 2위다. 우리에게 친숙한 블렌디드 위스키인 발렌타인, 시바스 리갈, 로얄 샬루트 등의 브랜드를 보유하고 있다.

넘어 보이는 건물의 외관까지, 그곳에서 처음으로 유서 깊은 술 브랜드가 가진 아우라를 느꼈다. 수십 년도 더 된 오크통들이 층층이 자리 잡은 숙성고에 갔을 때는 위스키와 오크가 뿜어내는 향에 압도되는 느낌이었다. 우리는 실제 위스키를 저장하고 있는 숙성고에서 그들이 자랑스럽게 내놓은 위스키들을 시음할 기회를 가졌다.

술을 한 모금 입 안에 머금자 이런 술을 가지고 있다는 것이, 이것이 그들 삶 자체이자 자부심이라는 것이 느껴지면서 부러웠다. 이 감정은 그들이 가장 자랑스럽게 생각하는 발렌타인의 핵심 싱글몰트single malt●●를 생산하는 글렌버기Glenburgie 증류소에 갔을 때 더욱더 강하게 느껴졌다. 부어라 마셔라 문화에 익숙했던 나에게 위스키의 향과 맛을 느끼며 이야기를 나누는 그들의 모습은 멋스러움과 존경스러움을 넘어 경이로움 그 자체였다.

그날 저녁, 스코틀랜드 전통 의상인 킬트kilt를 입고 저녁 행사에 참석했다. 이 행사에서 같이 온 일행 중 한 명이 우리나라 전통주라며 술을 하나 꺼냈는데, '감홍로'였다.

●● 보리(맥아) 한 가지로 만든 몰트 위스키의 하나로, 그중에서도 동일한 증류소에서만 생산된 위스키를 싱글몰트라고 한다.

이름 그대로 맛이 달고 붉은빛을 내는 술이었다. 하지만 나는 이 술에 대해 전혀 몰랐다. 술을 좋아한다고 해놓고 우리나라 전통주 하나 제대로 알지 못한 나에게 실망감이 들면서 동시에 세계의 술 앞에 내놓아도 부끄럽지 않을, 우리나라 술 브랜드를 만들고 싶다는 꿈이 생겼다.

스코틀랜드를 다녀온 후 본격적으로 술 브랜드를 만들기 위한 준비를 시작했다. 평소 친했던 양조장과 술 관련 업종에 있는 지인들에게 자문을 구하던 중 우연히 페이스북에서 글 하나를 보게 됐다. 술 관련해서 사람을 찾는 글이었던 것으로 기억한다. 나는 그 글에 댓글을 달았다. 정확한 내용까지는 기억나지 않지만, "저도 지금 제 술 브랜드를 만들기 위해 노력 중인데 너무 반갑네요" 정도의 댓글이었다. 그게 원소주와의 시작이다. 고작 댓글 하나 때문이었다고 하면 무언가 거창한 인연이라 생각했던 분들은 허무할지 모르겠지만, 그 시작은 댓글이 맞다(인생의 기회는 어느 때 어떻게 찾아오는지 알 수 없다).

2020년 어느 날, 그동안의 경험과 이야깃거리를 하나의 CV[Curriculum Vitae]에 담아 AOMG 박재범 대표와 김수혁 대표(이후 원스피리츠 이사 보직을 겸함)를 만났다. 그들과의 첫 만남은 이루고자 하는 목표가 같음을 확인한 자리였고, 내 꿈을 더 빨리 이룰 수 있을 거라는 확신을 선물 받은 자리였다. '내가 과연 원소주를 잘해낼 수 있을까?'라는 두려움보다 내가 가지지 못한 것을 무기로 얻어 성공할 수 있을 것이라는 자신감이 더 크게 들었다. 술만이 아닌 새로운 문화를 만들어갈 수 있겠다고 생각했다.

원소주는 박재범 대표의 원소주가 맞다. 하지만 나의 스피릿spirit이 담긴 원소주이기도 하다. 원하는 것을 포기하지 않고 계속 좇다 보면 반드시 꿈을 이룰 수 있다는 걸 말해주고 싶다. 그러니 현재 상황에서 자신이 할 수 있는 일을 하자. 최선을 다하면 더욱 좋다. 삶에 변화는 당장 일어나지 않는다. 일상 속 작은 성공들이 모여 변화가 일어나고 그것이 엄청난 변화를 선물한다. 원소주는 댓글 하나로 나에게 찾아왔다. 내가 그랬듯 이 글을 읽는 사람들도 원하는 일을 찾고 해낼 수 있을 것이라 확신한다.

최고의 디렉터들과 일하다

'원소주'와의 인연의 시작은 댓글이었지만, '원소주 일'의 시작은 장편소설을 써야 하는데, 첫 글자만 쓰여 있는 상황이었다. 원소주라는 이름은 박재범 대표가 이미 정해놓았고, 그는 공공연하게 이를 미디어에서 이야기해왔다. 그런데 '만들겠다'라는 것 말고는 아무것도 준비되어 있지 않은 상태였다. 내가 합류했을 때는 원소주를 만들 주체인 법인 설립도 되어 있지 않았고, 법인 설립 전이니 업무를 볼 수 있는 사무실도 없었다. 당연히 술을 제조하고 판매하기 위해 가장 먼저 해야 할 허가 절차 진행도 전혀 되어 있지 않았다. 심지어 잠깐 협업을 진행하기 위해 준비했던 곳과 이견이 있어서 협업이 중단된 상황이었는데, 그 부분에 대한 정리도 남아 있었다.

원소주라는 이름처럼 원 없이 일할 수 있겠다고 생각했다. 개인적으로 일을 할 때 완성도보다 속도를 중요하게 생각한다. 그렇다고 완성도를 포기하는 것이 아니라 속도감 있게 결과물을 내고 그것에 대한 피드백을 받고, 이를 반복해가며 완벽해지는 길을 선호한다. 끙끙 앓으며 고민한다고 해서 좋은 결과물이 나오는 건 아니다. 다행히 이런 나의 방식은 원소주에서 함께 일하는 사람들과 잘 맞았다.

박재범 대표는 타고난 사업가이면서 마케터다. 도전적이면서 긍정적인 아이디어가 넘쳐 도전에서 동기부여를 얻는 나와 전생에 부부가 아니었을까 생각될 정도로 너무나도 잘 맞는다. 덕분에 원소주 프로젝트는 속도감 있게 끊임없이 도전할 수 있었다. 반면에 김수혁 이사는 매우 안정적이다. 늘 든든하게 중심을 잡아주면서도 아티스트가 가진 톡톡 튀는 감성을 가지고 있다. 브랜드를

박재범은 아티스트로서, 사업가로서, 한 인간으로서 존경할 만한 사람이다.

가지고 노는 것을 좋아하는 이야기꾼인 내가 최고의 디렉터들과 함께하니 날개를 단 듯한 느낌이었다. 나는 그들이 디렉팅을 하면 그것을 전개할 수 있는 방법을 찾고 아이디어를 더하며 이야기를 더 풍성하게 만들어나갔다.

그렇다면 이제 원소주 프로젝트를 담을 그릇인 법인 설립을 해보자. 3개의 법인을 설립해본 경험이 있어서 법인을 설립하고 안정되기까지 무엇이 필요하고 어떻게 전개해나가야 하는지 잘 알고 있었지만, 문제는 '술을 만들어야 하는 법인'이어야 한다는 것이었다. 일반적인 법인 설립과는 접근 자체가 달라야 했다. 전통주는 단순하게 사업자를 내는 수준과는 차원이 다르다(뒤에서 좀 더 자세히 이야기하겠다). 이것은 즉, 언제 원소주가 나올 것인지를 계획할 수 없음을 의미했다.

일단 법인을 만들고, 이를 술을 만들 수 있는 법인으로 변모시켜나가기로 했다. 이렇게 마음을 먹으니 속도가 붙었다. 법인의 구조를 만들고, 이 사업을 함께 빌드업할 파트너들이 모였다. 이 과정에서 가장 어려웠던 것은 법인명을 정하는 것이었다. 우리는 수출을 목표로 했기에 글로벌한 법인명이 필요했다. '원코리아'라는 이름이 가장 좋은 반응을 얻었지만, 이미 등록된 법인명이었다(법인명이나 상표 등을 만들어본 사람들은 알겠지만, 어지간한 이름은 다 있다고 보면 된다). 원코리아를 어떻게든 사수하기 위해 앞뒤로 뭔가 붙일 이름까지 고민했지만, 썩 와닿지 않았다. 그때 박재범 대표가 '원스피릿'을 이야기했다. 한국 소주의 정신을 담겠다는 우리의 의지도 들어가고, 술 용어로 스피릿spirit은 증류 원액을 뜻하기도 해서 최고의 법인명이라 생각했다.

그런데 다 알다시피 우리의 이름은 원스피리츠다. 아쉽게도 원스피릿도 이미 등록된 법인명이어서 영문 한글 병기를 달리했다. 이후 원스피리츠는 지역특산주를 생산하기 위한 허가 절차를 밟았으며, 최종적으로 원스피리츠 주식회사 농업회사법인이 됐다. 법인을 설립하고 운영하다 보면 크고 작은 법적인 이슈들이 발생한다. 초기 스타트업은 비용적인 부담도 있고, 경험도 부족하기에 대응에 미흡할 수 있다. 하지만 이 부분은 비용이 발생하더라도 명확하게 짚고 가는 것이 향후 더 큰 비용의 지출을 막을 수 있다. 사업을 시작하고, 브랜드를 전개해나갈 때 꼭 법인 설립 전에 향후 발생할 법적인 이슈들을 모두 체크하고, 내가 앞으로 해나갈 비즈니스에 적합한 법인 설립을 하길 바란다. 상표권 등 반드시 지켜내야 할 권리도 이때 미리 챙겨두면 좋다.

우여곡절 끝에 원스피리츠가 탄생한 후 본격적인 원소주 프로젝트가 시작됐다. 나는 PM(프로젝트 매니저)으로 시작했으나 여느 스타트업이 그렇듯 일반적인 회사의 PM과 달리 전반적인 프로젝트 전개를 모두 책임져야 했다. PM 업무 경험이 있었지만, 원스피리츠의 PM은 시작부터 무게감이 달랐다.

전통주? 지역특산주? 원래 이렇게 어렵나요

누군가 전통주, 지역특산주를 만들고 싶다고 한다면 시작도 하지 말라고 말할 것이다. 허가 과정에서 포기하는 사람이 부지기수일 정도로 과정도 복잡하고 자격을 취득하기도 매우 어렵다. 원소주도 지역특산주로 허가받기까지 1년 가까이 걸렸다. 그럼에도 우리 술을 사랑해 전통주 관련 일을 하고자 하는 사람들을 위해 내가 경험한 일들을 간략하게 설명하려 한다.

지역특산주로 인정받고 제품을 출시하기 위해서는 지자체에서 추천하는 지역특산주 추천서가 필요하다. 지역특산주 추천서를 받기 위해서는 농업회사법인 또는 협동조합이 지역특산물을 활용해서 술을 만들 수 있는 적합한 공간이 필요한데, 무턱대고 공간을 만들어서 되는 것이 아니라 술이라는 식품을 생산할 수 있는 시설을 만들어야 하기에 굉장히 까다로운 절차를 거쳐야 우리가 알고 있는 양조장이 된다.

양조장을 만들고 지역특산주 추천서를 받는 그 순간이 진짜 시작이라고 보면 된다. 수학 공부로 따지면 이제 1단원 집합 정도 진도가 나간 것이다. 그 외 제조면허 취득 및 식품영업자등록을 해야 하고, 제조 방법 신청, 출고 전 주질 감정, 품목 제조 보고, 상표 사용, 출고 가격 신고 등을 한 다음에야 비로소 세상에 나의 술을 팔 수 있다. 물론 이는 제품 출시까지의 관공서 업무만을 말한 것이다. 이 업무들은 시간 소요가 많은 편이라 하나라도 반려되면 제품 출시는 몇 주씩 지연된다.

원소주 프로젝트를 위해 가장 먼저 시작한 일은 지역에

터를 잡는 것이었다. 우리나라 전통주는 많은 브랜드가 경기도와 충청도에 몰려 있다. 우리도 처음에는 서울에서 가깝다는 이유로 경기도를 생각했으나, 그보다는 함께 상생할 수 있는 지역을 찾고 싶었다. 그러던 중 강원도가 눈에 들어왔다. 처음 이 일을 시작할 때 강원도 원주랑 인연을 맺기도 했고, 물 맑고, 공기 좋고, 접근성도 나쁘지 않아 이보다 적합한 곳은 없다고 생각했다(강WON도 WON주라 더 끌렸던 것 같다).

사실 강원도에는 지역특산주 브랜드가 별로 없어서 지자체 지원을 좀 더 받을 수 있지 않을까 하는 기대도 있었다. 하지만 브랜드가 많지 않다는 것은 그만큼 허가가 어렵거나 지자체에서 지역특산주 관련 경험이 많지 않다는 것을 뜻하기도 한다. 그렇다 보니 원주에서 양조장으로 적합한 곳을 찾는 것부터 어느 하나 쉬운 것이 없었다. 첫 양조장으로 구했던 곳은 보존시설에 위치해 계약금만 날렸고, 주류 전문 행정사의 도움을 받을까도 싶었지만, 내 경험상 주류 전문 행정사라고 광고하는 분들은 현업 경험이 거의 없는 것 같다. 되레 나에게 물어봤으니 어느 정도인지 짐작이 갈 거다.

그렇다 보니 '이건 내가 혼자 할 수 있는 일이 아니다'라는 생각이 들었다. 마침 이곳저곳 양조장에 자문하러 다니는 나를 불쌍히 여긴 담을술공방(술 공방이자 숙성 용기 제조 업체로 원소주와는 옹기 숙성으로 인연을 맺었다)의 이윤 대표가 주류종합연구소 심형석 소장을 소개해줬다. 그는 지금껏 내가 만나온 사람 중에 주류에 대해 가장 많이 아는 사람이다. 심 소장의 컨설팅 이후 원소주는 비로소 체계를 잡아갔다. 지금도 그는 원스피리츠의 가장 큰 스승 역할을 해주고 있다. 많은 사람들의 도움으로 원스피리츠는 강원도 지역특산주로서 증류식 소주 제조면허를 취득하게 됐고, 비로소 원소주를 세상에 알릴 자격을 갖게 됐다.

소주는 소주다우면서
소주답지 않아야 한다

소주가 소주다운 것은 무엇이고, 소주답지 않은 것은 무엇일까? 소주가 소주답다는 것은 우리에게 익숙한 소주가 가진 장점일 것이다. 항상 같은 자리에 있는 편한 친구처럼 부담 없이 즐길 수 있는 술 말이다. 그 외에 형태적인 익숙함에서 오는 소주다움도 있을 것이고, 소주가 주는 문화적 익숙함도 소주다움의 일부일 것이다. 그렇다면 소주답지 않은 것은 무엇을 의미할까? 가장 큰 것은 심미적 요소일 것이고, 획일화된 맛과 그것으로 파생되는 획일화된 문화일 것이다. 그래서 여기에서는 원소주 브랜드 스토리텔링을 통해 우리가 하고자 했던 이야기를 담았다.

WIN이 아니라 WON인 이유

원소주는 시작부터 이름이 정해져 있었다. 박재범 대표는 숫자 1, 즉 ONE은 모두가 읽을 수 있고 이해할 수 있어서 좋다고 했다. 즐길 수 있는 술 문화를 지향하는데, 굳이 술 이름에 심오한 의미를 부여하고 싶지 않았던 것 같다. 우리는 여기에 더해 오늘을 열심히 산 사람들에게 내일은 이기는 것이 아니라 이미 이겼다는 확신을 줄 수 있는 술, WIN을 넘어 WON한 술이라면 이보다 더 좋은 의미는 없을 것 같았다. 열심히 하루를 보내고 맛있는 음식과 함께 술 한잔하는데, 그 술이 WON할 수 있는 소주라면, 왠지 모르게 무얼 해도 이긴 것 같은 자신감이 샘솟지 않을까?

우리는 원소주를 마시는 사람들에게 힘을 주기 위해 원소주의 '원'에 숫자 1인 ONE과 승리를 뜻하는 WON, 그리고 원하는 것을 이뤄줄 수 있는 술이 되길 바라는 마음으로 소망의 WANT를 담았다. 술 하나가 우리의 인생을 드라마틱하게 바꿔줄 수는 없지만, 오직 하나[One]뿐인 소주를 마시며, 미래를 이기고[Won], 원하는[Want] 것을 이루는 기분을 느끼길 바랐다.

원은 여러 가지 의미를 가지고 있는 단어이기도 하다. 우리나라 화폐 단위도 원이고, 동그라미의 다른 표현도 원이다. 브랜드 빌드업 초기에는 '원' 찾기에 열을 올리기도 했다. 뒤에서 이야기할 마케팅 사례들에 쓰인 수많은 원[WON]들은 이때 나온 것들이다. 원불교와 컬래버레이션해서 목탁 에디션을 만들자는 이야기도 나왔었다.

원소주의 기사나 콘텐츠를 보면 창의적인 댓글이 많다. '오늘도 원했어요', '원더풀한 하루 되세요', '원소주 원해요' 등 사람들은 원을 가지고 놀기 시작했고, 인증샷을 올리고,

맛을 공유하며 자발적으로 원소주 홍보대사가 되어줬다. 브랜드는 어려운 것이 아니다. 누구나 편하게 가지고 놀 수 있는 브랜드가 많은 사람들의 입에 오르내린다. 박재범 대표가 말했듯 '모두가 읽을 수 있고 이해할 수 있는' 브랜드면 된다. 덕분에 세상의 모든 원과 W가 들어가는 것들은 브랜드를 가지고 놀 때 좋은 활용 대상이 됐고, 그 놀이는 지금도 이어지고 있다.

원래는 하늘색이었다?!

원소주의 BI[Brand Identity]를 보면서 이 글을 읽으면 더 재미있는 시간이 되지 않을까 싶다. 첫 디자인 시안은 내가 합류하기 전의 일이다. 한국적인 요소가 담기되 글로벌한 느낌이 났으면 좋겠다는 말에 남무현 디자이너가 풀어낸 결과물은 하늘색이었다. 상상이 가는가? 시안으로 봤을 때는 흠 잡을 것 없이 훌륭했지만, 막상 병에 부착하니 기존 희석식 소주 브랜드와 유사한 느낌이 났다. 히트곡은 한 번에 작업한 경우가 많다고들 하는데, 브랜드를 기획해본 사람이라면 알 것이다. 첫 시안에 통과되는 일은 거의 없다. 그리고 결국 처음으로 돌아간다는 것을.

이후 디자인 빌드업 과정은 꽤 오랜 시간이 걸렸다. 여러 업체에 디자인을 의뢰해서 받아봤지만, 남무현 디자이너의

원소주 첫 디자인. 하늘색에서 검은색으로, 배경 유무, 디자인 요소 배치 등 수차례의 디자인 변경을 통해 지금의 원소주 디자인이 탄생했다.

하늘색 시안이 계속 마음에 걸렸다. 박재범 대표와 김수혁 이사도 마찬가지였다. 뜻이 모인 우리는 이를 다듬어보기로 했고, 그렇게 탄생한 것이 지금의 원소주 디자인이다. 디자인은 정해졌으니, 이 디자인을 소개할 자료가 필요했다. 주로 기업들은 디자인 회사에 의뢰하면서 BI에 담긴 의미와 스토리텔링 자료, 매뉴얼 북을 받는데, 우리는 반대로 디자인에 담긴 의미를 재해석해서 자료를 만들었다. 원소주 소개서를 만든다는 생각으로 같이 살펴보자.

일단 뚫어지게 쳐다보라(나도 처음에 그랬다). 가운데에

위치한 W가 가장 먼저 눈에 들어오지 않는가? 그리고 그 안에 지도에서 좌표를 표시하는 심볼 같은 거대한 물방울 한 방울이 떨어지는 것 같은, 파동을 일으키며 퍼져나가는 듯한 그림이 보인다. 우리는 여기에 원소주의 증류 원액 한 방울이 전 세계로 퍼져나간다는 의미를 담았다(나중에 나눈 이야기지만, 디자이너도 그런 의도로 디자인했다고 한다). 시야를 넓히면 W를 중심으로 위아래 한글로 쓴 '원'과 영문 'WON'이 있다. 원은 우리나라 화폐 단위로 이를 감싼 커다란 동그라미는 동전이다. 그래서 글자도 우리나라 동전에 쓰인 서체와 유사한 서체를 사용했다. 동그라미를 둘러싼 네모는 태극기에 쓰인 사괘 배치를 차용해 태극마크와 월드와이드 마크, 화폐 기호 ₩, 숫자 1을 넣어 원소주를 중심으로 만물의 이치가 조화롭게 돌아가는 것을 표현했다.

이쯤에서 그런 생각이 들 것이다. 브랜드명은 쉬운

방향을 지향했는데, 디자인은 너무 많은 걸 담고 있는 거 아닌가? BI라 함은 심플해야 하지 않을까? BI는 브랜드 그 자체다. 제아무리 멋진 디자인이라 할지라도 브랜드 스토리가 담겨 있지 않으면 죽은 브랜드와 같다고 생각한다. 우리는 굳이 설명하지 않아도 BI만으로 원소주가 담고자 했던 게 무엇인지 보여주고 싶었다. 한글과 영문, 원과 사괘, 태극마크와 월드와이드 마크가 함께 있는 것, 그것이 원소주다.

원소주 BI는 많은 걸 담은 대신 유연성과 확장성을 줬다. 기업의 CI나 BI의 경우 명확한 규정이 있어 변형이 어렵지만, 원소주 BI는 브랜드의 정체성을 해치지 않는 선이라면 얼마든지 유연하게 움직일 수 있다. 단독으로 쓰일 때는 WON 타이포 디자인이나 W가 들어간 심볼만 로고로 사용하고, 원소주를 모르는 사람들을 위해 WON SOJU를 병행 표기하고 있다. 좀 더 확장된 디자인을 쓸 때는 원 모양까지 써서 동전의 느낌을 강조하고, 사괘가 디자인된 사각 모양까지 사용하며 BI의 확장성을 높였다. 실제로 원소주 굿즈를 보면 다양하게 BI가 활용된 것을 볼 수 있다.

WON천징수

원소주가 소주이면서 소주답지 않았으면 하는 바람 중 가장

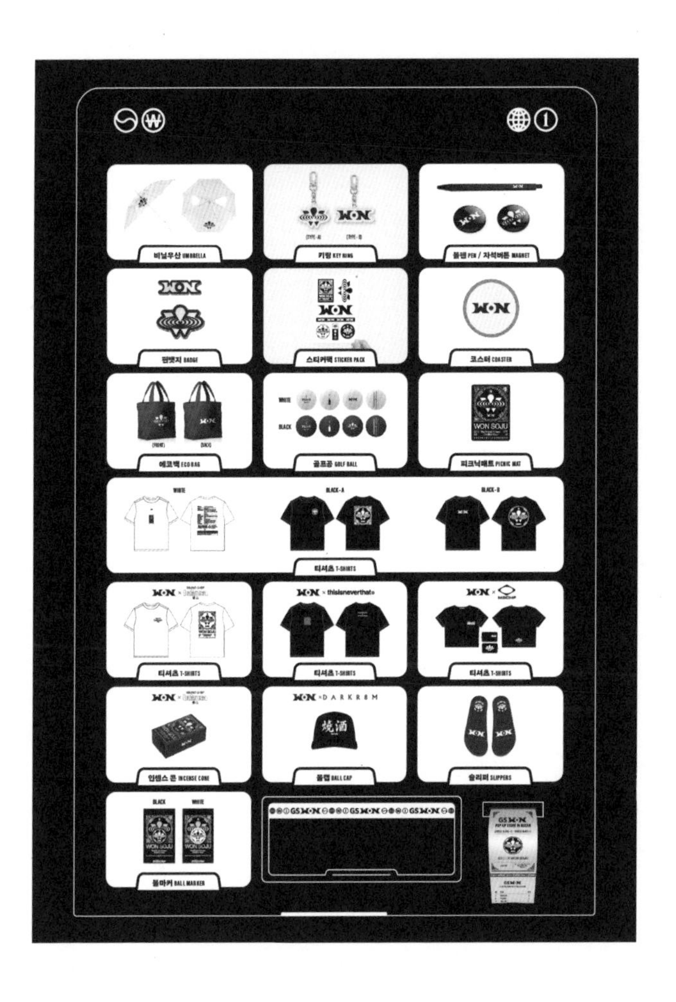

원소주 BI가 활용된 굿즈들. 옷부터 신발, 모자, 가방, 우산, 그리고 골프공까지 원소주 BI는 어디든지 잘 어울렸다.

힘을 쏟은 부분은 라벨이다. 사람들에게 원소주에 대해 가장 인상적인 부분이 무엇이냐고 물었을 때 가장 많이 나온 답이기도 하다. 원소주 라벨은 천으로 제작했다. '천으로 만든 라벨이라고? 그것도 주류 병에? 젖지 않을까?'라는 생각이 들 것이다. '원'소주 라벨을 '천'으로 만들기까지 얼마나 '징'하게 힘든 과정을 거쳤는지, 원천징수(원 놀이는 계속된다)한 이야기를 자세히 해보겠다.

처음에는 깔끔한 증류주의 모습이 돋보였으면 해서 투명 라벨을 생각했다. 그런데 막상 샘플을 받아보니 임팩트가 없었다. 애써 디자인한 BI가 잘 살지 않은 느낌이었다. 그래서 색을 넣어보기로 했는데, 이때부터 색상 조합 지옥에 빠졌다. 단색으로 해서 여러 색을 비교해보기도 하고, 타이포만 색을 넣어보기도 하고, 이 색 저 색 정말 징하게 오만가지 색 조합을 해봤다. 답은 나오지 않고 반복되는 상황에 지쳐가고 있을 때쯤, 박재범 대표에게 사진 몇 장과 함께 메시지가 왔다.

"와인처럼 뭔가 텍스처가 느껴지는
라벨이었으면 좋겠어요."

나는 메시지를 받자마자 바로 라벨 업체를 만나러

달려갔다. 기존에 시도하지 않았거나 다른 업체들이 망설였던 그런 라벨 샘플들을 보고 싶다고 말했다. 며칠 후 라벨 업체는 지금까지 봐왔던 라벨들과는 확연히 다른 라벨 샘플들을 한 아름 들고 왔고, 개중에 유독 눈에 띄는 샘플 하나가 있었다. 천 소재 라벨로 전시회 같은 데서 VIP 증정용 화장품을 위해 딱 한 번 제작했는데, 제품화되지는 않았다고 했다. 딱 이거다 싶었다. 바로 전체 회의를 소집해 천 샘플을 공유했다. 그렇게 지금의 블랙 색상 원소주 천 라벨이 탄생했다.

원소주 라벨 작업. 원소주에 대한 첫인상이자 사람들이 가장 쉽고 깊게 기억할 수 있는 게 시각적인 부분이라 BI만큼 많은 공을 들였다.

라벨을 천으로 하니 우려와 달리 오히려 내수성이 뛰어났고, 천이라는 소재가 주는 전통적인 느낌이 있어 그 어떤 라벨보다 원소주의 브랜드 아이덴티티를 가장 잘 보여줬다. 한 가지 팁(!)을 주자면, 천 재질이라 라벨이 병에서 깔끔하게 잘 떨어진다. 띠부실처럼 뗐다 붙였다가 가능하다. 스마트폰 케이스, 노트북, 아이스박스 등에 붙여 보길 바란다. 힙함이 한 단계 올라갈 것이다. 원스피리츠 인력 채용 때 원소주를 마셔봤냐는 질문을 했는데, 조용히 원소주 라벨이 붙은 스마트폰 케이스 뒷면을 보여줬던 지원자가 기억난다. 누구나 마음껏 가지고 놀 수 있는 브랜드이길 바란 우리에게 이보다 더 좋을 수 없는 천 라벨이다.

For the past & To the future

원소주 타깃층을 MZ세대로 알고 있는 사람들이 많다. 내가 처음 박재범 대표에게 브랜드 타깃을 물었을 때 그는 말했다. "우리 또래 직장인이 정말 힘들게 일하고 왔을 때 우리 술 한잔하면서 오늘 고생했다, 잘했다,격려받고, 뭔가 내일의 파이팅을 외칠 수 있는 그런 술이 됐으면 좋겠어요." 그리고 이어지는 답은 나에게 큰 영감을 줬다.

"그냥 내가 가장 좋아하는 술을 만들고
PM님이 가장 좋아하는 술을 만들고 우리가 좋아서
즐기다 보면 타깃 같은 것 생각 안 해도 자연스럽게 좋아해주는
사람들이 생기지 않을까요? 제품의 본질에 충실해서
잘 만들고 잘 즐기고 있으면 분명 그럴 거라고 봐요."

우리는 우리가 가장 사랑하는 술을 브랜드로 만들고 싶었다. 그게 원소주고 그래서 원소주의 가장 빅 팬이자 헤비 드링커는 박재범 대표와 나다. 우리가 평소에 즐길 수 없는 술이라면 시작부터 할 수 없었을 것이다. 이제는 맛있어서 마시고 사랑하는 건지 우리 브랜드라 마시고 사랑하는 건지 헷갈리는 경지에 이른 것 같기도 하다. 우리는 늘 미래 지향적인 이야기를 나누고 그 미래는 항상 기대와 설렘으로 가득 차 있다. 이 멋진 미래를 원소주를 통해 다른 사람들에게도 선물해주고 싶었다.

브랜드 네이밍이나 슬로건 등을 정하는 과정은 굉장히 고달프다. 아이디어를 아무리 쥐어 짜내도, 더 이상 나올 것이 없을 것 같은데도 짜내야 하는 곤혹스러운 길고 긴 회의를 경험해봤을 것이다. 우리는 달랐다. 원소주를 만들며 바랐던 것은 오직 하나였다. 보이지 않은 미래를 걱정하지 말라. 당신이 진짜로 좋아하고 하고 싶은 것을 하다

박재범 대표가 몸담았던 AOMG 식구들과 함께 외치는 "원하여".

보면 미래 또한 원하는 미래를 살게 될 것이다. 이제부터 "위하여!"라는 건배사 대신 "원하여!"를 외쳐보자.

원래 소주는 이거야

원소주에서 잊지 말아야 할 본질은 술이다. 박재범이 만들었고, 디자인이 힙하고, 마케팅을 잘하는 술이라고 해도 결국 맛이 가장 중요하다. 우린 소주를 만들기로 했다. 소주는 주류 중에 가장 친숙하고 자주 마시며 한 번 먹어보는 것으로 끝내는 술이 아닌 일상에서 음식과 함께 편하게 즐길 수 있어야 한다. 다음은 원소주의 술맛, 도수, 제조 방식, 마시는 법 등과 관련된 이야기다.

원하는 맛 찾아 삼만리

매주 화요일 오후 5시에는 어떤 일이 있어도 모두가 함께 모여 회의를 했다. 전통 방식으로 소주를 만들자는 것 이외에는 정해진 것이 아무것도 없었다. 함께 술을 만들 장인분이 있다고 했지만, 원소주를 생산할 수 있는 시설조차 준비되어 있지 않았고, 술맛과 퀄리티도 보장되지 않은 사람이었다. 결국 이 분과는 함께 일할 수 없었고, 우리는 처음부터 다시 시작해야 했다. 하지만 회의를 하면 할수록 원소주가 세상에 나올 수 있을까 하는 불안만 더 커졌다.

지금이야 원소주 기사를 보며 감압증류, 상압증류가 무엇인지 알게 된 사람들이 생겼지만, 이전까지는 전통주가 이렇게 다양한 방식으로 제조 및 생산되고 있다는 것에 관심을 두는 사람이 거의 없었다. 우리도 원소주를 준비하면서 많이 배웠다.

원소주는 처음부터 증류식 소주를 만들려고 한 것은 아니다. 전 세계에 가장 한국적인 우리 술을 알리는 것이 목표였을 뿐인데, 그것이 증류식 소주였던 거다. 우리가 흔히 아는 증류주는 위스키, 브랜디, 보드카, 진, 테킬라 등이 있다. 바꾸어 말하면 우리 소주가 이런 술들과 대등하게 경쟁해도 된다는 것이다. 우리나라는 희석식 소주를 너무 저렴하게 접하고 있는데, 소주 자체를 평가 절하하고 있다고 생각한다(물론 희석식 소주는 그 나름의 역할이 있고 그 역할을 존중한다).

증류주는 감압과 상압의 차이에 따라 맛과 향, 생산량, 생산단가 등이 차이가 난다. 상압은 섭씨 80~95도 이상에서 증류하는 것이고 감압은 이보다 낮은 섭씨 40~50도 정도에서 증류하는 것으로 끓는점이 다르다. 끓는점이 높은 상압의 경우 고비점 화합물(높은 온도에서 생기는 미량 물질)로 인해 향이 풍부해져 다양한 맛을 낼 수 있다. 이에 반해 감압은 고비점 물질이 적어 깔끔한 맛을 내기에 좋다.

그렇다면 원소주는 어떤 방식으로 만들어야 할까? 원하는 술이 무엇인지에 답이 있다. 나는 박재범 대표에게 "우리 술은 어떤 맛이면 좋을까요?"라고 물었다. 그는 이렇게 대답했다.

"쌀이면 쌀, 고구마면 고구마,
100% 원재료로 만든 술이면 좋겠어요.
감미료처럼 맛을 내기 위한
인위적인 것이 안 들어갔으면 좋겠고요.
깔끔하고, 부드러워서 칵테일, 하이볼, 하드셀처♦처럼
다양하게 우리 술을 즐기게 하고 싶어요."

이 답에 원소주의 모든 것이 담겨 있다. 그는 원재료 이외에는 아무것도 들어가지 않은 깔끔한 술이길 바랐다. 깔끔한 맛을 내려면 감압증류 방식이 맞다. 역사가 긴 술들은 대부분 상압증류 방식으로 만들긴 하지만, 상압증류 시설은 동(구리) 증류기를 사용해야 해서 비싸고, 무한정 대형으로

♦ 탄산음료에 제로슈거 제품이 있듯 탄산수에 알코올을 섞은 술로 대부분 설탕을 첨가하지 않아 칼로리가 낮은 것이 특징이다.

만들 수도 없다. 감압증류는 역사가 짧지만, 스테인리스로 대형 증류기 제조도 가능해 대량 생산을 할 수 있다. 무엇보다 한국 전통의 누룩 향이나 강한 아로마(원재료가 주는 향)를 싫어하는 외국인들에게 이렇게 깔끔한 맛의 증류주도 있다고 접근하기에 최적이라고 생각했다. 또한 칵테일 레시피, 음식과의 페어링 등을 생각하며 베이스가 깨끗한 술을 만들고 싶었다.

술맛은 결정됐다. 이제 그런 술을 만들 수 있는 곳을 찾으면 된다. 원스피리츠 양조장에서 생산할 수 있는 술의 양은 한정적이라 많은 물량을 유통하기 위해서는 위탁 제조할 곳이 필요했다. 원스피리츠 양조장은 R&D와 한정판 술 제조만으로도 벅찼다. 하지만 박재범이 만드는 소주라는 것을 비밀로 하고 진행했던 작업이라 주변에 도움을 요청할 수 있는 상황이 아니었다(프로젝트를 시작하고 5개월 후쯤 공개했으니 5개월 동안 맨땅에 헤딩하듯 양조장만 찾아다녔다).

솔직하게 말해 처음부터 밝히고 시작했으면 과정이 훨씬 더 쉬웠을 것이다. 생각해보라. 어떤 사람이 대뜸 술을 만들고 싶다고, 이런 맛이 나는 술이고 생산 물량은 이 정도인데 할 수 있겠냐고 물었을 때 어느 누가 "알겠다. 합시다"라고 하겠는가. 속된 말로 찾아간 양조장마다 대차게 까였다. 한 유명 양조 업체는 자기네 술 만들기에도 바쁘다고 했고, 어느 유명 전통주 유통 업체는 대놓고 무시하기도 했다(이들은 원소주가 출시된 후 다시 연락을 취해왔다).

고난과 역경(?) 끝에 가장 진정성 있게 우리 술을 생산해줄 곳들을 리스트업해 이 업체들이 제조 및 생산하는 술들로 블라인드 테스트를 했다. 수차례 블라인드 테스트를 거쳐 우리와 결이 가장 잘 맞는 술을 찾아나갔다. 이 과정에서 관계자의 실수로 SNS에 시음 과정이 사진으로 돌아다니기도 했고, 원소주가 51도로 나온다는 소문이

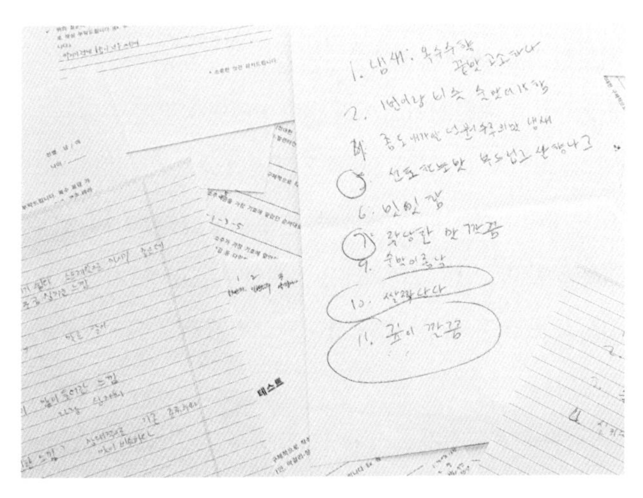

블라인드 테스트 결과지. 우리 외에도 테스터들의 나이와 성별을 다양하게 구성해 객관성을 높였다.

퍼지기도 했다. 지금이야 웃으면서 하는 이야기지만, 그때를 생각하면 아찔하다(51도로 꼭 한번 만들어야겠다는 생각이 들기도 했다).

이렇게 글로 정리하니 짧게 느껴지지만, 원하는 맛을 찾기 위한 과정은 반년 넘게 계속됐다. 우리의 첫 제품인 '원소주'는 감압증류 방식으로 고헌정에서 만들었다. 고헌정은 당시 유명한 양조장은 아니었지만, 술과 여과에 진심인 공장장이 있어서 깔끔한 맛의 술을 가장 잘 만든 업체 중 하나였고, 일반 소규모 양조장에 비해 생산량을 어느 정도 확보할 수 있는 장점이 있었다.

저도주가 유행인데 왜 22도인가

원소주를 처음 론칭하며 가장 많이 받았던 질문 중 하나는 '왜 22도인가'다. 희석식 소주들이 점점 저도수로 가면서 16도 술들이 즐비한데 6도나 높은 소주를 만들었으니 그런 질문을 할 만도 하다. 여기에는 우리의 큰 뜻이 숨어 있지만, 희석식 소주 업체에는 조금 불편한 내용일 수도 있음을 미리 알린다.

증류주는 도수가 올라갈수록 맛있다. 정확히는 맛있을 수밖에 없다. 도수가 올라갈수록 증류 원액의 비율이 높아져서 향은 더 풍부해지고 다양하며 깔끔한 맛을 느낄 수 있다. 알코올 함량이 높기 때문에 술을 한 번에 많이 마시지 않으면서 향과 맛을 자연스럽게 즐기게 된다. 부어라 마셔라를 할 수 없게 된다는 말이다. 그런데 왜 우리가 흔히 마시는 소주들은 점점 저도수로 가고 있는 것일까?

최근의 트렌드는 아니다. 소주는 꾸준히 저도화되고 있었다. 지금까지 소주의 도수가 높아진 적은 단 한 번도 없었다. 희석식 소주는 주정에 물을 섞어 만든 술로, 물이 많이 섞일수록 알코올 특유의 향과 맛이 약해진다. 그래서 저도수 술을 출시하면서 '순하다', '부드럽다'라고 표현한다. 희석식 소주를 차갑게 마시는 이유도 알코올이 주는 타격감을 덜 느끼기 위해서인데, 도수를 낮춰 그 타격감을 없앤 것이다. 소주 특유의 알코올 향과 맛이 줄어드니 이를 싫어하는 사람들도 소주에 대한 거부감이 없어져 소주에 대한 소비자의 접근성은 더 높아지게 된다. 저도수가 나오고 되레 음주량이 더 늘었다는 기사도 있다.

저도수가 추세인 시장에서 20도 이상의 술은 그 숫자만으로도 소비자를 겁먹게 할 수 있다는 우려도 있었지만, 우리는 위스키, 브랜디와 같이 저도수에서 느낄 수 없는 맛과 향을 가진 술을 원했다. 때문에 도수를 어느 정도까지 올리는 것이 적절한가에 대한 끊임없는 논의가 이어졌고, 최대한 사람들에게 숫자가 주는 거부감이 덜하면서 최적의 맛과 향을 낼 수 있는 도수 찾기에 돌입했다.

1도 단위로 쪼개서 미지근하게도 마셔보고 차갑게도 마셔보는 시음이 계속됐다. 대중성이 있으면서(소주다우면서) 맛과 향을 즐길 수 있는(소주답지 않은) 최적의 도수를 찾기 위한 긴 작업이었다. 그런 과정 끝에 나온 도수가 22도다. 저도수에 익숙한 요즘 세대가 느끼기에는 높은 숫자이기는 하나, 커뮤니케이션을 어떻게 하느냐에 따라 소비자에게 충분히 다가갈 수 있는 도수라고 생각했다(미식가 중에는 20.1도인 빨간 뚜껑 소주만 마시는 이들이 많다는 기사도 있다). 무엇보다 22도는 증류식 소주의 마지노선 같은 것이다. 22도 아래로 내려가면 흔히 이야기하는 물맛이 너무 도드라져서 최소한의 증류식 소주의 매력을 전하려면 22도는 지켜야 했다.

"22도인데 왜 이렇게 깔끔해", "22도인데 왜 이렇게 부드러워", "이게 22도라고?" 처음 원소주가 세상에 나왔을 때 사람들의 반응은 그동안의 노력을 보상받는 느낌이었다. 단순히 시장을 주도하는 제품 지향적인 마인드에서 벗어나 업의 본질에 대해 심도 있게 고민했기에 이룰 수 있었던 결과가 아니었나 생각된다.

원소주 도수 찾기 작업. 원하는 도수를 찾기 위해 얼마나 많은 술을 마셨는지, 술에 절어 산다는 게 이런 걸까 싶었다. 여러 명의 간을 희생(?)하며 찾은 귀한 22도다.

옹기 숙성을 아시나요

술도 정했고, 도수도 정했다. 그런데 뭔가 부족했다. 맛과 제조 과정에도 좀 더 우리나라의 스토리가 담기면 좋겠다고 생각했다. 때마침 여러 전통주 업체들이 참여하는 전통주 박람회가 열린다는 소식이 들려왔고, 원소주의 방향성을 더 명확하게 만들어줄 무언가를 찾을 수 있지 않을까 하는 마음으로 박람회를 찾았다.

양조장의 술을 직접 마셔보는 것만큼 직관적인 접근은 없기에 원소주의 전통성을 더해줄 마지막 킥kick을 찾겠다는 일념으로 박람회에 들어온 거의 모든 술을 시음했다(술잔이 작긴 했지만, 체감상 200잔은 마신 것 같다). 그중 두 업체의 술맛이 인상적이었다. 한 업체는 안동 진맥소주를 만드는 밀과노닐다였는데, 밀이라는 원재료가 주는 특징이 있었고 1년 이상의 숙성이 주는 조화로운 맛이 좋았다. 또 다른 업체는 주향을 만드는 담을술공방이었는데, 술맛이 가장 좋았다.

곧장 담을술공방의 이윤 대표를 만나 그 비법에 관해 물었다(나는 확실히 행동파 타입인 것 같다). 담을술공방의 주향은 직접 만든 옹기에 6개월 숙성을 거쳐 세상에 나온다고 한다. 도예가인 부부가 오랜 기간 소주를 숙성할 항아리를 연구한 끝에 2010년 '숙아리'를 만들었고,

2016년 본격적으로 주조를 시작해 2021년 3년 숙성주인 주향을 만들었다. 항아리의 재료인 찰흙 안에 든 모래가 미세한 공기 구멍을 만들어내 안과 밖으로 공기가 통하는데, 이를 두고 보통 항아리가 숨 쉰다고 말한다. 한국의 발효음식인 김치와 장류도 이런 이유로 항아리에 숙성한다. 주향도 이와 같은 원리로 옹기가 숨을 쉬어 술의 균형감이 좋아져 부드러움이 극대화된 술이 됐다.

옹기의 매력에 빠진 나는 당장이고 옹기 숙성을 하고 싶었지만, 생산 과정의 복잡함은 차치하고 옹기에 숙성하면 단가가 올라가고, 생산량도 옹기 수에 따라 좌지우지될 수밖에 없는 치명적인 단점이 있었다. 분명 좋은 것이긴 하나 사업적으로 봤을 때 리스크가 너무 큰 선택지였다. 그럼에도 쉽게 옹기를 놓지 못한 나는 회의에서 박재범 대표에게 옹기에 대한 내 생각을 꺼내놓았고, 그의 입에서는 1초의 망설임도 없이 'OK'가 나왔다. 그는 세계에 내놓을 우리 술을 만들고자 이 프로젝트를 시작했다며 한국 전통 토기에 숙성한 술이야말로 그것에 부합하는 것이지 않냐고 했다. 나는 곧장 충주에 위치한 담을술공방을 찾아가 이렇게 말했다.

"우리 술을 제대로 만들어 해외에 알리고 싶습니다.
제대로 만들려면 숙성이 필요한데, 그 숙성을 우리의 것이 아닌
오크통 같은 것에 하는 순간, 저희가 술에 담고자 했던
'우리 것'의 진정성이 사라집니다."

문제는 담을술공방의 옹기는 핸드메이드였고, 이미 많은 곳에서 제작 의뢰가 들어와 납품 일정이 가득 찬 상황이었다. 설득 과정이 쉽지 않았지만, 우리 술에 대한 진심이 통했던 것인지 이윤 대표는 우리 손을 잡아줬다. 옹기 숙성을 결정하면서 좋은 술을 좋은 가격에 공급하고자 했던 계획에 살짝 차질을 빚었고, 제작되는 옹기의 양에 따라 생산량을 결정할 수밖에 없어 생산 물량에 큰 영향을 미쳤지만, 원소주에 가장 중요한 한국의 스피릿을 담을 수 있게 됐다. 원소주는 희소성 마케팅을 한 것이 아니다. 진정성을 담은 어쩔 수 없는 선택이었다.

소주는 돌려 따야 제맛

'녹색병', 소주하면 가장 먼저 떠오르는 것이 바로 녹색 소주병일 것이다. 병의 색깔부터 형태, 뚜껑, 라벨 등 소주는 유독 특정 이미지가 오랫동안 굳어져 있는 술이라 기존 이미지를 탈피한다는 것은 쉬운 일이 아니다(투명한

원소주를 숙성할 옹기들. 가장 어려운 결정이었지만, 가장 한국적인 선택이었던 것 같다.

하늘색병을 선택한 진로이즈백의 성과는 놀라운 것이다). 증류식 소주는 희석식 소주에 비해 고가로 분류되기에 더 다양한 이미지를 가지고 있긴 하나, 우리는 소주다움을 잃고 싶지 않았다. 고민 끝에 소주다움을 살릴 수 있는 것은 병과 뚜껑이라는 결론을 얻었다.

소주를 마시는 것은 병을 흔드는 것부터 시작한다. 어디서 어떻게 무슨 이유로 시작된 행동인지는 알 수 없지만, 소주병을 잡는 순간 우리 모두 너무 당연하고 자연스럽게 똑같은 행동을 한다. 그다음은 뚜껑을 돌려 딴다. 나는 뚜껑을 돌려 딸 때 나는 그 특유의 소리가 소주 맛에 한몫했다고 본다. 증류식 소주는 희석식 소주에 비하면 고급 시장을 형성하고 있기 때문에 병에 힘을 주거나 코르크 같은 상위 버전의 뚜껑을 쓰는 경우가 많다. 우리는 이 부분에서 좀 더 전략적인 선택이 필요했다. 소주답지 않아야 하지만 또 가장 소주다워야 하는, 병을 흔들고 뚜껑을 돌려 따는 것을 놓칠 수 없었다. 심미적으로 더 나은 선택을 할 수도 있었지만, 소주가 주는 그 익숙함이 좋았다. 증류식 소주인 원소주가 희석식 소주와 비교된다고 해도 포기할 수 없는 부분이었다.

병 업체 선정은 정말 너무 힘들었다. 지금이야 대량 판매가 되고 있지만, 초기 계획 물량은 너무 적은데다

코로나19로 병을 안정적으로 수급받는 것이 어려운 상황이었다. 원자재 절감을 위해 비용이 저렴한 다른 나라에서 제작하기에는 수급 일정 및 퀄리티에 대한 리스크가 있었고, 국내 제작을 하면 이 부분에서는 안정적이긴 하나 병 가격이 너무 비쌌다. 고민 끝에 국내 제작을 선택했지만, 코로나19로 공장들이 문을 닫고 일손이 부족해지면서 안정적이라 믿었던 수급 일정마저 차질을 빚으며 우리를 조마조마하게 만들기도 했다. 그렇게 탄생한 원소주 병은 일반적인 소주보다는 좀 더 그립감이 있는 편이지만, 병의 기본 셰이프shape와 목 부분의 형태는 일반 소주에 비해 크게 이질감이 없다.

원소주 뚜껑. 사람들이 좋아하는 소주의 장점을 살리고 싶어 선택한 뚜껑이지만, 원소주다움을 잃지 않기 위해 공들여 디자인했다.

뚜껑을 선택하는 과정도 쉽지 않았다. 희석식 소주와 동일하게 알루미늄 뚜껑으로 하는 것이 맞느냐에 대한 논의가 끊임없이 이어졌다. 소주는 따는 맛이라고 하지만 프리미엄 소주를 표방하면서 알루미늄 뚜껑은 아니지 않느냐는 의견이 많았다. 나는 프리미엄이라는 것이 단순히 보이는 것에서만 나오는 것은 아니라고 생각한다. 원소주 뚜껑을 얻기 위해 얼마나 많은 뚜껑을 돌렸는지, 얼마나 많은 뚜껑을 천장에 걸었는지, 뜯긴 부분을 꼬아 얼마나 많이 손으로 튕겼는지 모르겠다. 그렇게 지금의 뚜껑이 탄생하게 됐다.

원소주를 제대로 즐기려면

"원소주는 어떻게 마시는 것이 좋아요?"
"원소주는 어떤 안주랑 제일 잘 어울려요?"
"박재범은 원소주를 보통 어떻게 마시고, 어떤 안주랑 먹나요?"

원소주를 마시는 법에 대해 받은 질문 중 TOP3가 아닌가 싶다. 원소주는 원재료의 풍미를 제대로 느낄 수 있어야 진정한 맛을 알 수 있는 증류주다. 증류주는 기본적으로 상온에 두고 마시는 술이다. 상온에서 마실 때 더욱 풍부한 향과 맛을 느낄 수 있어 우리가 흔히 아는 고급 증류주들은 보통 니트neat[♦]로 마신다. 위스키를 차갑게 마실 때도 얼음이 녹아 위스키 자체의 맛을 변화시키는 것을 싫어해 스테인리스나 스톤으로 된 아이스 큐브를 쓰는 사람도 있다.

그런데 우리나라 사람들은 유독 미지근한 소주를 싫어한다. 더 차갑게 마시기 위해 살짝 얼려 마시기까지 한다. 소주를 마시면서 맛과 향을 즐기기보다 그냥 입에 털어 넣기 바쁘다. 이는 술 문화 영향이 크다. 우리나라 술 문화라고 하면 '부어라 마셔라'가 떠오를 것이다. 마치 내일이 없는 것처럼 "오늘 먹고 죽자"를 외쳤던 경험이나 사람들이 술잔을 부딪치며 "원샷"을 외치는 소리를 들어본 적 있을 것이다. 회식처럼 다 같이 으쌰으쌰하는 자리에서 술의 맛과 향을 즐긴다는 것은 불가능에 가까웠다. 그런데 이런 술 문화가 MZ세대를 시작으로 변화하고 있다. 그들은 더 이상 취할 때까지 술을 마시길 원하지 않는다. 술자리 분위기가 아닌 술 자체를 즐기고 싶어한다. 코로나19로 인해 의도치 않게 집에 머무르는 시간이 많아지면서

♦ 위스키 본연의 맛을 느낄 수 있게 아무것도 첨가하지 않고 원액 그대로 마시는 방법으로 스트레이트straight라고도 한다.

사람들은 좋은 술 한잔을 가볍게 즐기기 시작했다. 모두가 힘들어하던 시기에 주류 시장은 오히려 더 다양화되고 세분화됐다.

소주다우면서도 소주답지 않은, 부어라 마셔라를 하지 않아도 되는, 우리는 그런 술과 함께하는 새로운 문화를 만들고 싶었다. 원소주를 마실 때 코를 가볍게 잔에 가져다 대고 향부터 느껴보자. 술은 향이 먼저다. 많은 사람들이 막걸리 향이 난다고 하는데, 정확히 말하면 원재료인 쌀의 향을 맡은 것이다. 그리고 입에 머금고 입 안에서 한 번 깔끔한 맛을 즐기고, 목 넘김으로 또 한 번 부드러움을 느껴보길 권한다. 좀 더 극대화된 경험을 위해서 위스키 잔인 글랜캐런Glencairn♦같이 향을 모아주는 노징 글라스nosing glass나 스피릿 글라스spirits glass로 마시면 원소주의 매력을 더 제대로 느낄 수 있다. 차갑게 즐기고 싶다면 얼음덩어리를 넣고 온더록스on the rocks로 마셔보길 추천한다.

소주는 원래 미지근하게 마셔야 하는 술이라고

♦ 이전에는 위스키를 아무 잔에나 편하게 담아 마셨는데, 스코틀랜드의 글라스 웨어 브랜드 글랜캐런 크리스털의 창립자 레이먼드 데이비슨Raymond Davidson이 최초로 위스키 잔을 만들면서 다양한 위스키 잔들이 나오기 시작했다. 그가 만든 잔 이름이 '글랜캐런'이다.

이야기하긴 했지만, 술은 자기가 마시고 싶은 방식대로 마시는 게 최고다. 정해진 규칙은 없다. 원소주의 매력을 가장 잘 즐길 수 있는 방법으로 미지근한 소주를 권장하는 것일 뿐 다른 방법이 틀렸다는 것은 절대 아니다. 향과 맛을 즐길 틈 없이 원샷으로 털어 넣기 바빴던 그동안의 음용법 대신 한번 시도해보길 바라는 마음으로 이야기해봤다.

그동안은 술을 즐기기 힘든 세상에 살고 있었지만, 이제는 원소주와 함께 술의 향과 맛은 물론 음식과의 페어링까지 즐겨보길 바란다. 세 가지 질문 중 가장 많은 사람들이 궁금해하는 마지막 질문에 대한 답은 박재범 대표는 주로 원소주만 마신다. 굳이 안주를 곁들인다면 견과류나 과일 정도다.

원소주 논란의 중심에 서다

"○○○은 안 되고 박재범 원소주는 된다?
… 전통주, 온라인 판매 미스터리"
"'원소주'발 전통주 기준 개정, 온라인 주류판매 판도 뒤집을까?"

원소주는 출시와 동시에 주류 트렌드뿐 아니라 시장의 판도를 뒤흔들었다. 전통주 업계를 알리고 소비자들의 관심을 얻게 된 것은 분명 의도한 바였지만, 생각지도 못한 일이 일어났다. 그동안 어떤 문제 제기도 없었던 전통주산업법에 일부 업체들이 이의를 제기한 것이다. 왜 같은 전통 증류주인데 원소주는 되고 자신들은 안 되냐는 것이었다. 막걸리도 받지 못한 혜택을 원소주는 왜 받는지 등 형평성에 어긋난다고 말했다. 이 논란을 바로 알기 위해서는 전통주가 무엇인지부터 알아야 한다. 원소주가 희생양(?)이 될지라도 더 많은 사람들이 전통주에 관심을 가지는 계기가 되길 바란다.

막걸리는 NO, 원소주는 YES?!

전통주는 민속주와 지역특산주로 나뉜다. 민속주는 국가나 지자체가 지정한 장인 또는 식품 명인이 만든 술이고, 지역특산주는 농업회사법인이나 영농조합이 그 지역 농산물을 주원료로 해서 만든 술이다. 같은 청주나 막걸리여도 국내산 재료를 100% 사용하지 않거나 장인이나 명인, 농업회사법인이나 영농조합이 만들지 않으면 아무리 전통 제법으로 만든 같은 종류의 술이어도 전통주로 인정받지 못한다. 일반 주류회사의 술이 전통주로 인정받지 못한 이유는 이 때문이다.

원소주는 강원도 원주 소재 농업회사법인인 원스피리츠에서 생산되며, 강원도 지역에서 생산된 쌀을 포함해 술에 들어가는 모든 재료를 국내산으로 만든 지역특산주다. 전통주의 경우 산업 보호 차원에서 주세를 50% 감면해주고, 판로 개척에 도움을 주기 위해 온라인 판매를 허용한다. 원소주가 논란이 됐던 가장 큰 이유는 바로 이 온라인 판매다(원소주는 GS25에 원소주 스피릿 첫 물량이 나가고 난 후부터는 주세 감면 기준인 100kl를 초과해서 세금 혜택 없이 일반 술들과 동일하게 세금을 내고 있다. 물론 전통주 과세표준에서 패키지 가격을 제외시켜주는 등의 다른 혜택은 받고 있다).

그동안 대형 주류회사들은 온라인 판매에 큰 관심이 없었다. 온라인 판매 자체가 워낙 미미하고, 굳이 온라인이 아니어도 확고한 유통 채널들을 가지고 있기 때문이다. 민속주나 지역특산주는 주로 지역의 작은 양조장에서 생산하는 경우가 대부분이라 주류 시장에서 자체 유통 채널을 확보하기가 매우 어렵다. 그래서 전통주의 경쟁력 보호를 위해 온라인 판매를 열어준 것이다.

그런데 원소주가 온라인 판매를 시작하자 주류회사들은 자신들이 생산하는 술은 왜 전통주가 아니냐며 딴지를 걸기 시작했다. "전통 방식으로 만든 막걸리는 왜 전통주가 아니죠?" 이 문장만 본다면 그들의 주장은 맞는 말이다. 오히려 원소주보다 막걸리가 더 전통주 같아 보인다. 하지만 자세히 들여다보면 대형 주류회사에서 생산하는 막걸리는 국내산 쌀이 아닌 중국산 쌀을 원료로 하는 경우가 많다. 인건비가 싼 나라에 공장을 짓듯 주류회사들도 단가가 싼 원재료를 사용하는 것이다.

전통주의 지위를 얻고 싶다면 국내산 원재료로 만들면 된다. 수제 맥주 산업이 성장하면서 수입에만 의존했던 맥주의 주원료인 홉조차 토종 홉을 발견해 대량 증식 연구개발에 성공했다. 맥주도 원료 국산화를 위해 노력하고 있는데, 전통주라면 더욱더 그래야 하지 않을까? 하물며 세계 여러 나라들도 자국산 농산물을 사용하는 것을 원칙으로 술에 명칭을 부여한다.

디지털 시대에 온라인은 무시할 수 없는 거대 시장이 됐다. 가구부터 부동산까지 온라인 구매를 당연하게 여기는 MZ세대가 주요 소비층이 되면서 주류 업계에도 온라인은 군침을 흘릴 만한 시장이 된 것이다.

전통적인 것이 가장 힙한 것

이전 젊은 세대들은 전통은 따분한 것이라고 생각했다. 하지만 지금의 젊은 세대로 구분되는 MZ세대에게 전통은 '힙' 그 자체다. BTS의 정국은 생활한복을 즐겨 입고, 블랙핑크는 무대의상으로 한복을 선택했다. 심지어 반가사유상 미니어처는 BTS의 RM이 샀다는 소식이 전해진 뒤 없어서 못 산다고 한다. 반가사유상이라니? 국사책에서나 봤던 것에 MZ세대가 열광하고 있다.

그들은 왜 전통에 끌리는 것일까? 90년대생이 직접 대한민국의 90년대생을 이야기한 책 《K를 생각한다》의 임명묵 저자는 한 인터뷰에서 우리 사회가 전통 기반이 부족한 사회라 오히려 레퍼런스될 만한 게 없어 형식에 얽매이지 않고 자유롭게 전통 콘텐츠를 만들 수 있기 때문이라고 말했다. 여기에 더해 K-콘텐츠가 세계로 확장하면서 우리 것이 꿀릴 게 없다는 생각과 중국이 김치, 한복 등 우리 문화를 중국 것으로 몰아가는 모습을 보며 우리 것을 지켜야 한다는 생각이 전통 소비에 영향을 미쳤다고 했다.[♦] 이러한 현상에 맞춰 전통에 '힙'한 감성이 더해지면서 전통이 MZ세대의 새로운 트렌드가 된 것이다.

원소주보다 먼저 전통주 시장에 뛰어든 막걸리 업체 한강주조의 고성용 대표도 전통에 관심이 많았다. 그는 우리나라는 역사도 길고 재미있는 문화도 많은데 많은 사람들이 이를 잘 모르는 게 안타깝다고 했다. 막걸리를 직접 만들게 된 계기도 막걸리가 가진 낡은 이미지를 현재로 가져와 새롭게 재창조한다면 전통이 지속 가능한 문화가 될 수 있을 것 같다는 생각 때문이었다. 그래서 그는 처음부터 MZ세대를 겨냥한 막걸리 맛을 원했고, 그동안 '아재술(아저씨술)'로 불리던 막걸리 시장에 변화의 바람을 일으키며, MZ세대의 지갑을 열었다.

박재범 대표도 우리나라는 좋은 술을 많이 가지고 있는데, 사람들이 이를 너무 모르고 있는 것 같다고 했다. 그래서 전통주를 알리기 위해 원소주를 만들었고, 전통

♦ "한복과 소주는 어떻게 힙해졌나… '가장 국제적인' MZ세대의 역설", 《머니투데이》, 2022.05.06.

방식을 따르되 우리 스타일대로 전통을 풀어내면 전통이 가지고 있는 기존 이미지에 새로운 이미지를 불어넣을 수 있을 것이라고 생각했다. 그의 생각은 적중했고, 원소주는 전통주임에도 MZ세대에게 힙한 술로 통한다.

현재 전통주 시장은 MZ세대가 이끌고 있다. 신세계백화점에 따르면 2022년 상반기 전통주 판매 매출이 지난해와 비교해 51% 늘었고, 2030 고객은 48% 늘었다고 한다. 이러한 성과가 우리 때문만은 아니지만, 전통주 시장 부흥에 원소주가 중요한 역할을 했다는 평을 들을 때면 우리가 원했던 것을 일차적으로 이뤄냈다고 생각한다. 우리는 전통주에 대한 관심이 지속될 수 있도록 계속 새로운 도전을 할 것이다.

2

WON더풀한
하루를 선물하다

원소주, 세상에 나오다

2022년 2월 25일, 원소주가 세상에 처음 공개된 날이다. '소주런(소주+오픈런)'이라는 신조어를 만들어냈고, '완판', '품절 대란' 등 온갖 기록 경신과 언론을 장식하며 원소주의 화려한 시작을 알렸다. 특히 팝업 마케팅을 언급하는 기사에는 항상 대표 사례로 꼽히며, 대한민국을 팝업 천국으로 만들었다. 후에 전해 들은 이야기인데 원소주가 팝업한 자리는 '팝업 명당'이 됐다고 한다. 40년 넘게 주류 시장을 평정한 터줏대감을 앞지르며 원소주는 어떻게 신드롬을 만들어낼 수 있었을까?

인생을 여과하라

우리 중 누구도 이런 결과를 예상하지 못했다. 예상했더라면 모든 부분에서 더 철저히 준비했을 것이다. 우리는 여전히 부족하지만, 그렇기에 계속 나아가려 노력한다. 원스피리츠는 2022년 5월까지 대표와 이사들을 제외하면 직원이 단 2명뿐인 회사였다. 무언가를 예상하고 준비할 수 있는 그런 수준의 인력풀이 아니었고, 눈앞에 있는 일들에 최선을 다할 수밖에 없는 상황이었다. 투자자들은 연말 론칭을 바랐고, 나와 미지 실장은 매일 과부하에 시달렸다. 역사학자 아놀드 토인비는 말했다. “성공의 반은 죽을지 모른다는 절박한 상황에서 비롯되고, 실패의 반은 잘나가던 때의 향수에서 비롯된다.” 그렇다면 우리는 지금 그 성공의 반을 향하고 있는 걸까?

나는 죽을지도 모른다는 절박한 상황들을 여러 번 겪었다. 그런 일을 겪은 후부터는 늘 미래 지향적인 삶을 살았고, 긍정의 삶을 그렸다. 하지 않을 뿐 못 할 일은 없다고 생각했고, 원소주에도 그런 생각들을 주입했다. 원소주를 준비하면서 잘나가던 때의 향수에 취해 자기 생각만 이야기하는 사람들을 많이 봤다. 원소주를 만든다고 했을 때 그들이 공통적으로 했던 말은 “우리나라에서 술은 안 된다”였다.

당신이 무언가를 시작하려 할 때 이런 식으로 말하는 사람이 있다면 당신의 인생에서 무조건 거르면 된다. 술에서 여과는 아주 중요하다. 인생에서도 마찬가지다. 이런 사람들은 과감하게 여과해라. 한 번으로 안 되면 2단, 3단으로 해라. 여과 횟수에 따라 술이 더 깔끔해지는 것처럼 인생 또한 깔끔해진다. 그러면 당신의 인생을 함께 걸어줄 진짜 사람들만 증류 원액처럼 남는다. 원소주는 이런 증류 원액 같은 사람들이 주변에 있었기에 가능했다.

론칭일을 확정할 수 있는 상황은 아니었으나 연초 안에 공개할 수 있을 것이라는 판단 아래 본격적인 론칭 작업에 들어갔다. 하지만 사람이 필요했다. 제아무리 일당백 역할을 한다고 해도 당시의 인원으로 론칭 준비를 하는 건 무리였다. 나는 현한수에게 SOS를 쳤다. 지금은 유튜브 채널 '삐까뚱씨 PKDC'를 운영하고 있지만, 원래 디자이너 출신으로 온라인 마케팅 및 콘텐츠에 대한 이해도가 높고, 무엇보다 나와 비슷한 성향으로 내게는 증류 원액 같은 사람이다. 우리는 가장 먼저 원소주 BI와 그 안에 담긴 요소 하나하나를 인스타그램에 차례로 노출했다. 원래 1천 명 남짓 유지하고 있던 팔로워 수는 BI 공개와 함께 급속도로 늘어났고, 여러 업체에서 관심을 보여왔다(이때 컨택한 곳들과 진행했던 일들은 뒤에서 더 자세히 설명하겠다).

뒤이어 박재범 대표가 몸담고 있던 힙합 레이블 AOMG 대표직을 사임했다. AOMG는 박재범이 만들고 지금껏 키워온 곳으로 'AOMG=박재범'은 공식과 같은 것이었다. 그는 자신이 그동안 이뤄온 것들을 새로운 사업에 이용하고 싶지 않다고 했다. 원소주에 대한 그의 마음을 다시 한번 느낄 수 있었다. 박재범 팬들은 이 사실을 믿을 수 없어 했지만, 그는 인스타그램 계정까지 삭제하며 새로운 준비를 위한 단계를 하나씩 밟아갔다.

인스타그램에 콘텐츠를 꾸준히 업로드하며 분위기를 고조시켰지만, 그것만으로는 한계가 있었다. SNS 마케팅이 대세라고는 하지만 우리의 이야기를 전하기에는 너무 부족한 공간이었다. 나는 스코틀랜드 양조장 투어를 함께 다녀오며 인연을 맺은 《에스콰이어》 민병준 편집장에게 연락했다. 요즘 매거진을 누가 보냐 하겠지만, 긴 호흡으로 진정성 있는 이야기를 담기에는 매거진만한 것은 없다고 생각했다. 매거진 인터뷰에 이어 이들이 운영하는 유튜브 채널 'ESQUIRE Korea'에서 원소주 칵테일 제조 콘텐츠도 촬영했다. 요즘 매거진들은 인쇄 매체에만 머무르지 않는다. 여러 플랫폼들과 연계해 영역을 확장하고 있다. 나는 이 점을 파악하고 손을 내민 것이다. 이를 시작으로 글로벌 패션 라이프 웹 매거진 《하입비스트》, 다양한 술들을 재미있는 비하인드 스토리와 함께 전하는 유튜브 채널 '주류학개론' 등 원소주 콘텐츠 확산을 위한 작업을 계속해나갔다.

2022년 1월 1일, 새해가 되자마자 박재범 대표는 새로운 출사표를 던졌다. 'To Life'라는 음원을 발매하며 자신의 포부를 세상에 알린 것이다. 이 음원의 뮤직비디오에는 원소주가 등장한다. 예고편인 셈이다. 이에 맞춰 우리는 원소주 첫 공개를 위한 작업에 들어갔다.

전통 처마 아래 새벽 동이 트는 듯한 분위기를 만들어내 원소주의 시작을 표현했다.

원소주에 담긴 의미를 사진 한 장으로 표현하기 위해 15년 넘게 인연을 이어오고 있는 오영훈 포토그래퍼를 찾았다. 그는 우리나라 전통 처마 아래 원소주의 시작을 동이 트는 새벽 분위기에 녹여냈다.

원소주 칵테일 탄생

원소주는 소주지만 일반적인 소주와 다른 포지셔닝을 할 수 있었던 이유 중에 칵테일의 역할을 빼놓을 수 없다. 원소주 칵테일은 소주를 마시지 않거나 즐기지 않는 사람도 소주에 다가갈 수 있는 매개체 역할을 했다. 론칭 전 칵테일 레시피가 공개되며 다양한 콘텐츠가 생산되기도 했고, GS25 뮤비페(뮤직&비어 페스티벌)에서는 UFC 정찬성 선수의 에너지 음료를 활용한 원소주 칵테일을 판매해 페스티벌 전체 주류 중 압도적인 매출을 기록하기도 했다.

원소주는 만들 때부터 칵테일, 하이볼 등을 염두에 뒀다. 증류식 소주가 좋은 술이기는 하지만, 술을 좋아하지 않거나 소주를 즐기지 않는 사람에게는 조금 버거운 술일 수 있기 때문이다. 우리는 증류식 소주가 가진 매력을 더 많은 사람들이 알길 바라는 마음으로 원소주를 만들었기에 이를 도와줄 칵테일은 놓칠 수 없는 아이템이었다. 문제는 칵테일은 술을 만드는 것과는 또 다른 차원이라는 것이었다.

원소주를 칵테일로 어떻게 풀어내야 할지 고민하던 때 탄산수 페리에와 모닌 시럽 등의 브랜드를 유통하는 CNC 유통사에 다니는 지인이 떠올랐다.

CNC는 주류 유통 회사답게 믹솔로지스트mixologist[◆]들이 소속되어 있고, 칵테일 레시피를 연구할 수 있는 스튜디오도 있다. 무엇보다 회사 내부에서 도움을 줄 수 있다는 긍정적인 회신도 받았다. 박재범 대표에게 이 내용을 공유하자 그는 적극적으로 참여 의사를 내보였다. 이때 탄생한 것이 더현대 서울에서 판매한 원밀리언과 원토디다.

원밀리언은 상큼한 맛을 내는 칵테일로 행사나 페스티벌에 잘 어울리는 술이다. 이 술은 원소주와 페리에 그리고 라임만 있으면 누구나 쉽게 만들 수 있고, 이 술을 마시는 모두가 부자가 되길 바라는 마음으로 '밀리언'이라고 이름 지었다. 원토디는 따뜻한 칵테일이다. 칵테일이 따뜻하다고? 생소하겠지만 해외에서는 증류주에 당분과 향료를 넣어 따뜻하게 술을 즐긴다. 이를 핫 토디hot toddy라고 해서 원토디라고 칵테일 명을 지었다. 핫 토디는 18세기

◆ 칵테일 믹싱 분야의 지식과 경험을 지닌 사람으로, 1882년 바텐더 제리 토마스Jerry Thomas가 혼합학이라는 뜻의 믹솔로지mixologie에서 차용해 만든 용어다.

원소주 칵테일 레시피 제조 회의. 이건 TMI인데, 박재범 대표는 원밀리언을 가장 좋아한다.

중반부터 시작됐다고 하는데 처음에는 약용으로 사용됐다고 한다. 추운 계절 원토디가 따뜻한 위로가 되길 바라는 마음으로 만들었다.

우리는 칵테일 레시피를 모두가 활용할 수 있도록 공개했다. 사람들이 원소주를 더 잘 즐길 수만 있다면 상관없었다. 우리의 바람대로 레시피는 다양한 콘텐츠로 재생산되어 확산됐고, 여러 페스티벌에 초대되며 소주 칵테일의 인기를 실감했다. 원소주가 전 세계 곳곳에서 판매되는 날, 그 나라만의 원소주 칵테일이 탄생하길 기대해본다.

WON MILLION

Ingredients

Won Soju	60 ml
Perrier Lime	100 ml
Fresh Lime	1 wedge

Garnish

Lime Slice, Edible Gold Powder

Method

Build

WON TODDY

Ingredients

Monin Ginger Bread Syrup	10 ml
Monin Apple Syrup	10 ml
Won Soju	40 ml
Hot Water	130 ml

Garnish

Cinnamon Stick, Apple Slice

Method

Build

원밀리언과 원토디 레시피. 상큼한 술이 마시고 싶을 때는 원밀리언을, 따뜻함을 느끼고 싶을 때는 원토디를 추천한다.

CNN이 촬영을 왔다고?!

2021년 가을, 메시지 하나가 왔다. 우리 술을 알리기 위해 가장 일선에서 노력하고 있는 전통주 콘텐츠 및 유통 플랫폼 대동여주도의 대표였다. 미국 뉴스채널 CNN에서 아시아 음식으로 다큐멘터리를 제작하는데, 첫 번째 편이 한국이고, 한국 음식 중에 술이 제대로 소개된 적이 없어 한국 술을 조명해보고 싶어한다는 것이었다. 그중에서 전통주를 집중 조명하고자 하는데, 이를 준비하고 있는 박재범의 원소주를 담고 싶다는 내용이었다. 수출을 목표로 하는 원소주에 좋은 기회였지만 무턱대고 할 수는 없었다. 당시 우리에게는 술이 없었다.

그럼에도 이 기회를 놓치고 싶지 않았다. 생산 단계이긴 하지만, 전 세계에 원소주를 알릴 수 있는 이보다 좋은 방법은 없다고 판단했다. 일단 CNN과 함께 프로젝트를 주도적으로 준비하고 있던 마스터 소믈리에이자 우리 술을 세계에 알리기 위해 앞장서고 있는 술 수입/배급 업체 KMS 임포트Korean Modern Spirits IMPORTS의 김경문 대표를 만나 상황을 알렸다. 그의 도움으로 술에 대한 우리의 진정성을 담을 수만 있다면 술이 없어도 된다는 CNN 측의 답변을 받았다. 그들은 원소주를 생산하는 원주에서 촬영하고 싶다고 했다. 방영 날짜도 2022년 3월쯤이라 우리의 이야기가

CNN과의 인터뷰는 원스피리츠의 술에 대한 진정성을 세계에 알릴 수 있는 좋은 기회였다.

선공개되는 것은 아니어서 다행이었다(실제 방영은 러시아의 우크라이나 침공으로 5월에 방영됐고, 유료 채널이라 구독해야 볼 수 있다).

그렇게 CNN 팀이 원주로 왔다. 프로그램 호스트인 칼턴 맥코이Carlton Mccoy와 김경문 소믈리에, 박재범 대표가 양조장 모월에 모였다. 호스트는 힙합 아티스트인 Jay Park(박재범의 영어 이름이자 해외 활동명)이 술을 만들게 된 계기부터 원소주에 담긴 이야기, 앞으로의 목표 등을 물었고, 박재범 대표는 그간의 이야기를 생생하게 전달했다. 그는 조만간 미국에서 원소주를 만날 수 있을 것이라는 이야기로 인터뷰를 마쳤다.

WON anniversary
: 더현대 서울

2022년 2월 25일, 더현대 서울에서 팝업 스토어 형식으로 원소주를 공식 론칭하는 것이 확정됐다. 필요한 절차들이 다 끝나지 않은 상황에서 론칭일부터 잡은 거라 하나만 삐끗해도 약속을 지키지 못하는 상황이었다. 모든 게 긴박하게 돌아갔던 그때로 돌아가보자.

힙한 공간, 힙한 사람들

원소주를 처음 공개하는 자리를 왜 백화점으로 선택했는지에 관한 질문을 많이 받았다. 이 이야기의 시작은 원소주를 처음 준비하던 2020년으로 돌아간다. 원소주에 대한 전반적인 계획을 세우던 중 팝업 스토어를 지역별로 열어 전국으로 확장해나가자는 이야기가 나왔다. “원을 활용해 수원에서 팝업 스토어를 해보는 건 어떨까요?”, “전국 맛집들과 컨택해서 팝업 포장마차를 열면 재미있을 것 같아요”, “럭셔리한 공간과 노포 같은 곳에서 동시에 열어 프리미엄 소주지만 원소주가 가진 브랜드의 유연함을 보여주면 좋을 것 같아요” 등등. 그런데 전혀 예상할 수 없었던 일이 일어났다.

"코로나19 전 세계를 뒤덮다."

2020년 초에 시작된 코로나19는 금세 전 세계를 집어삼켰고, 곧 끝날 거라는 초반 기대와 달리 2년 넘게 지속됐다. 결국 오프라인 행사는 꿈도 꾸지 못한 채 원소주를 준비해야 했다. 그 사이 사회적 거리두기는 몇 차례 단계를 낮췄다 올리기를 반복했고, 거의 셧다운이 됐다가 풀리기도 했는데, 2022년이 되자 희망적인 이야기들이 스멀스멀 들려왔다. 나 역시 고이 접어뒀던 팝업 욕구가 다시 꿈틀대기 시작했다.

이 시기에 팝업 스토어를 하려면 가장 중요한 것은 어떠한 순간에도 셧다운이 되지 않는 곳이어야 했다. 당시 가장 안정적이었던 공간이 백화점이었고, 고객 접근성이 좋다는 이점도 있었다. 하지만 와인이나 위스키도 아니고 작은 회사의 '소주' 론칭 행사를 받아줄지 걱정됐다. 제아무리 박재범이라 해도 백화점을 뚫기란 바늘구멍에 낙타 넣기 같이 느껴졌다.

백화점을 어떻게 설득해야 할지 한참을 고민하던 때 '더현대 서울' 기사가 눈에 들어왔다. 유통 불모지였던 여의도에 소위 말하는 3대 명품이 한 곳도 입점하지 않은 백화점이 MZ세대를 공략하며 기대 이상의 성과를 보이고 있다는 내용이었다. 그 길로 곧장 현대백화점 주류 바이어를 만났다. 다행히 몇 번의 미팅 끝에 더현대 서울에서 공간을 내어주겠다는 연락을 받았다. 심지어 더현대 서울 1주년 기념일에 맞춰 론칭일이 정해졌다. 그때가 1월 25일이었으니 딱 한 달 만에 팝업 스토어를 준비해야 했다.

팝업 스토어를 위해 가장 먼저 해야 할 일은 대행사 선정이다. 대행사를 리스트업하고 비교 분석해 우리에게 맞는 업체를 선택해야 하는데, 여러 업체를 다 확인하고 컨택할 시간적 여유가 없었다. 게다가 한 달밖에 남지 않은 일정으로 팝업 스토어를 진행해줄 대행사를 찾는 것도 일이었다(평균 3개월 전에 대행사를 선정하고 기획에 들어간다). 어쩌다 찾았다 해도 무작정 선정할 수 없는 노릇이다. 나는 그동안 다닌 주류 행사 중 가장 기억에 남은 로열 살루트 위스키 출시 행사를 담당한 오토매틱을 떠올렸다. 당시 행사를 접하면서 '내가 팝업 스토어를 한다면 꼭 이곳과 하고 싶다'고 생각했다. 곧장 오토매틱의 전아름 대표에게 연락했다.

"비딩 같은 건 없습니다.

진행 과정 무조건 믿고 가겠습니다."

오토매틱의 전 대표는 준비하고 있는 행사가 이미 여러 개라 직원들의 과부하가 염려되는 상황이지만, 아무것도 준비되지 않은 내 제안을 받아들였다. 나중에 들은 이야기인데 전 대표도 원소주를 흥미롭게 지켜보고 있던 중에 연락을 받았다고 했다. 주류 행사 베테랑들이 함께한다는 것만으로도 이미 성공한 기분이 들었다.

그런데 예상치 못한 곳에서 난항을 겪었다. 더현대 서울을 가본 사람들은 알겠지만, 보통 팝업 스토어는 지하 2층 팝업 존이나 6층 정원 공간이 활용된다. 하지만 이곳은 이미 1년 일정이 가득 차 있어 더현대 서울에서 우리에게 제시한 장소는 지하 1층 식품관 세 곳으로 당시 튀김 브랜드가 열심히 기름 냄새를 풍기며 팝업 스토어를 진행하고 있던 곳과 구석에 위치해 사람들이 잘 가지 않는, 양쪽으로 나누어진 공간이었다. 그리고 지금까지 팝업 공간으로 활용된 적 없는 에스컬레이터 옆으로 구조가 애매해서 고객 동선으로 활용되는 곳이었다. 당신이라면 어떤 곳을 선택하겠는가? 세 공간 모두 팝업 스토어를 해야 하는 이유보다 하지 말아야 하는 이유가 많았다. 선택지가

한 번도 팝업 공간으로 활용되지 않았던 공간이었지만 우리는 프리미엄 증류식 소주라는 원소주 이미지에 걸맞게 격식을 갖춰 팝업 스토어를 만들었다.

없는 오토매틱은 에스컬레이터 옆 공간을 선택했고, 결과적으로는 잘한 선택이었다. 그들은 역시 베테랑이었다.

어떻게 알릴 것인가

브랜딩만큼 중요한 것이 마케팅이다. 아무리 브랜딩을 열심히 해서 좋은 브랜드를 만들었어도 마케팅이 없으면 그냥 묻히고 만다. 지나가는 사람을 붙잡고 "여기 정말 좋은 제품 있어요"라고 말이라도 해야 한다. 그래야 당신의 말을 듣고 당신이 만든 브랜드에 고개를 돌린다. 거기서부터가 시작이다. 때문에 많은 기업들이 마케팅에 많은 인력과 비용을 지불하는 것이다.

그렇다면 원소주를 어떻게 마케팅했을까? 원스피리츠의 직원은 단 2명이었고(심지어 나 포함), 마케팅에 쏟을 비용도 없었다. 방법은 일당백, 몸으로 직접 뛰는 수밖에 없었다. 수많은 바이럴 콘텐츠를 만들어도 공식적인 보도자료가 타이밍 좋게 나가지 못하면 마케팅은 따로 논다. 바꾸어 말하면 마케팅을 전개해나가는 과정에서 적재적소에 보도자료를 잘 활용하는 것은 기본이고, 타이밍을 잘 잡는다면 그 시너지는 어마어마하다. 나는 이 점을 잘 알고 있었기에 가장 먼저 스코틀랜드 증류소 투어 때 인연을 맺은 PR 대행사 온피알에 도움을 요청했다. 온피알은 위스키,

보드카, 샴페인, 맥주 등 다수의 주류 PR을 담당하고 있었기에 함께하지 않을 이유가 없었다.

마케팅할 때는 협력 부서 간 커뮤니케이션이 가장 중요하다. 규모가 큰 기업의 경우 다루는 범위가 워낙 넓어 각각 별도의 팀을 두는 경우가 많은데, 이보다는 함께 움직이는 것이 가장 효과적이라고 생각한다. 그렇게 하지 않아서 커뮤니케이션에 문제가 생기는 경우를 많이 봐왔다. 인력이 부족한 상황에서 온피알에 일임할 수도 있었지만, 모든 과정을 함께한 이유도 이 때문이다.

온피알과는 PR뿐만 아니라 론칭 준비도 같이 진행했다. 가능한 한 이전 주류 행사에서 보지 못한 규모로 시상식 못지않게 성대하게 열고 싶었다. 원소주가 얼마나 힙한 술인지 마음껏 드러내고자 했다. 시상식처럼 블랙 카펫을 깔고, 포토존을 세우고, 여러 아티스트들을 초대했다. 브랜드 행사에 기자분들을 초청하면 많이 와야 40~50명 정도인데, 이날은 170여 명이나 왔다. 그리고 원스피리츠의 대표 박재범이 등장했다.

이날 거의 모든 언론에서 원소주 관련 기사를 다뤘다. 온라인 기사는 거의 실시간이었고, SNS에는 행사 이후에도 인증샷이 계속 올라왔다. 우리는 아주 합리적인 가격에 대행료를 지불했고, 2월 한 달간 보도자료 배포는 단

2건이었으며, 그중 1건은 리테이너retainer 계약에 포함되어 추가 비용도 없었다. 그럼에도 수백, 수천, 많게는 수억 원까지 마케팅에 투자하는 기업들보다 더 큰 홍보 효과를 이뤄냈다.

팝업의 기준을 다시 쓰다

첫 팝업 스토어는 2022년 2월 25일부터 3월 3일까지 총 7일간 여의도 더현대 서울 지하 1층에서 열렸다. 하루도 조용할 날 없었고, 매일 사건 사고가 터졌다(긍정의 의미로). 나는 팝업 스토어 첫날이자, 원소주를 세상에 공개하기로 한 2월 25일 이른 시간부터 더현대 서울을 찾았다. 그런데 백화점으로 진입할 수 있는 모든 입구에 사람들이 줄 서 있는 게 아닌가? 순간 샤넬이나 롤렉스 오픈런인가 했다(더현대 서울에 입점한 브랜드도 아니다). 원소주를 기다리는 사람들일 거라고는 전혀 생각하지 못했다. '사람들이 좀 몰리지 않을까'라고 잠깐 바라본 적은 있지만, 그날 내 눈에 들어온 인파는 상상 이상이었다.

줄은 시간이 지날수록 점점 더 늘어나더니 순식간에 지하 1층이 사람들로 가득 찼다. 구매하는 사람들의 편의를 위해 백화점 앱을 통해 미리 예약받았고, 워낙 큰 행사를 많이 해본 백화점이었기에 크게 걱정하지 않았는데, 그들의

(위) 수많은 기자들 앞에 선 박재범 대표. 무려 170여 명의 기자들이 원소주의 시작을 취재하기 위해 론칭장을 찾았다.
(아래) 원소주를 기다리고 있는 사람들. 줄 서기는 더현대 서울을 지나 지하철과 연결된 IFC몰 통로까지 이어졌다.

예상을 벗어난 인파였다. 포토콜이 시작되고 박재범 대표를 비롯해 쌈디, 그레이, 로꼬 등 아티스트들이 등장하자 통제가 불가능해보였다. 게다가 앱을 통해 예약한 사람과 백화점 내 키오스크로 예약한 사람들이 겹치면서 예약 번호 배부 시스템에 오류가 생겼고, 앱은 다운되어 아예 작동하지 않았다. 이내 불평불만이 들리기 시작했다. 결국에는 지하 1층 식품관 계산대를 모두 오픈해 원소주를 계산하는 진풍경이 벌어졌고, 원소주 인스타그램 계정과 백화점 공식 창구에 사과와 공지를 시간별로 업로드하며 수습하느라 애를 먹었다.

이날 하루에 판매된 원소주는 1만 병이다. 팝업 기간 준비한 물량이 총 2만 병이었는데, 첫날 절반이 팔린 것이다. 미처 예상하지 못한 인파에 판매 수량을 한정하지 못했고, 나중에서야 1인당 8병으로 제한한 것이 유일한 대안이었다. 팝업 굿즈로 제작한 온더록스 잔은 오전에 이미 매진됐다. 백화점 예약 시스템에서 확인된 예약 번호만 3천 개였고, 한 번호당 3~4명의 중복인원이 있었다는 것을 감안하면 첫날에만 거의 1만 명 가까운 인원이 예약 시스템에 접속한 것 같다. 백화점 오픈 이래 가장 많은 예약 건수가 1,300명 정도였다고 하니 2배 이상의 수다. 그러니 서버가 다운될 수밖에.

더현대 서울 팝업은 메인 디스플레이 존, 칵테일 존, 포토부스 존, 굿즈 존 등 4개 섹션으로 구성했다.

더현대 서울 측의 도움으로 첫날은 어떻게 마무리됐지만, 둘째 날도 이럴 수는 없었다. 결단이 필요했다. 나는 예약 시스템부터 판매 방식까지 전부 우리 방식으로 하겠다고 백화점 측에 전달했다. 우리 시스템이 아니니 문제가 생겨도 손쓸 방법이 없었다. 사고가 나더라도 우리가 판단하고 해결할 수 있는 게 더 나을 거라 여겼다. 다행히 팝업 스토어 2일째부터는 점점 안정을 찾았고, 6일 동안 남은 1만 병의 수량을 하루 한정 판매, 1인당 구매 수량 제한으로 돌렸다. 3일째부터는 입구를 단일화해서 여러 곳에서 사람들이 몰리는 것을 방지했고, 오랜 시간 기다리거나 헛걸음하지 않도록 사전에 인원을 카운팅해 구매 가능 여부를 실시간으로 SNS에 공유했다. 이 과정에서 백화점 측도 커뮤니케이션 창구를 일원화하여 빠르게 대응할 수 있게 도와줬다.

원소주는 더현대 서울에서 판매하는 비슷한 가격대 상품 대비 역대 최고 매출을 올리며 준비한 2만 병을 완판했다. 이후 더현대 서울은 수많은 브랜드의 러브콜이 이어진다고 한다. 백화점 측 말로는 협업을 요청했을 때 미동도 없던 브랜드들이 이제는 먼저 연락이 와 원소주가 팝업한 장소에서 팝업 스토어를 하고 싶다고 이야기할 정도라고 한다. 팝업 스토어는 이전에도 있었지만, 원소주 팝업 마케팅 성공 이후 MZ세대의 놀이터 역할을 하며 대한민국은 팝업 천국이 됐다.

원 모어 팝업: 나이스웨더

원소주 자사몰 오픈 전까지 절대 팝업은 거들떠보지 않겠다고 다짐했다. 정확히는 팝업은 다시 안 하겠다고 생각했다. 온라인에 더 집중하고 싶기도 했고, 무엇보다 론칭이 끝나고 나니 긴장이 풀렸는지 한동안 힘이 쫙 빠진 상태였다. 그런데 팝업이란 게 중독성이 있다. 눈앞에서 시시각각 사람들의 반응이 보이는, 그때의 희열을 어떻게 표현해야 할까. 가수가 공연 무대를 찾고, 배우가 연극 무대를 잊지 않는 것과 비슷하다고 해야 할까. 더현대 서울 팝업이 끝난 지 한 달이 지나자 스멀스멀 팝업 욕구가 올라왔다. 마치 망각의 동물처럼 힘들었던 것은 다 잊고 그 순간의 환희만 남아 나를 다시 움직이게 했다.

원소주가 빠지면 파티가 아니지

첫 번째 팝업 스토어는 원소주를 세상에 알리는 첫 자리였기에 나름의 격식을 갖추고 싶었다. 그러다 보니 하나 아쉬웠던 점은 백화점이라는 고급매장에서 프리미엄 소주 이미지는 부각할 수 있었으나 우리 브랜드가 가진 힙함을 보여주지 못했다는 것이다(물론 더현대 서울도 힙한 공간이긴 하지만 말이다). 원래 이 두 가지 색을 모두 보여주고 싶어 팝업 마케팅도 두 버전으로 기획했었다. 하지만 최종 조율이 되지 않아 더현대 서울에만 집중했다.

그런데 론칭 당일, 두 번째 팝업이 결정됐다. 가로수길에 위치한 '나이스웨더'는 미국 편의점 콘셉트의 신개념 편집숍으로 다른 브랜드와 컬래버레이션도 자주 진행하며 MZ세대 사이에서 유명하다. 나이스웨더와의 팝업은 더현대 서울과는 완전히 다른 분위기로 원소주가 가진 또 다른 색을 보여줄 수 있어 의미가 있었다.

나이스웨더 팝업 준비기간은 2주 남짓이었지만, 한 차례 경험이 쌓였고 더현대 서울 팝업으로 손발을 맞춘 오토매틱과 함께 진행했기에 그 연장선상으로 '애프터 파티'라는 콘셉트를 구현해내는 데 큰 어려움은 없었다. 급한 일정인 와중에 나온 포스터 작업물도 아주 만족스러웠다(feat. 레어벌스). 무엇보다 이번 팝업은 원소주를 직접 제공할 수 있다는 점에서 가장 기대됐다. 더현대 서울은 백화점이라는 공간에서, 그것도 대낮에 소주를 마시기에는 애매한 분위기라 원소주 샷잔 대신 칵테일로 제조해 판매했는데, 나이스웨더는 술뿐 아니라 디제잉 공연도 가능했다.

원 모어 팝업 포스터. 한 번 더 팝업이라는 뜻의 '원 모어'는 박재범 대표가 설립한 연예 기획사 모어비전과 소주를 모어more한다는 중의적 의미를 담고 있다.

“오늘의 날씨는 내일의 역사가 된다”
《질병이 바꾼 세계의 역사》에 이은 또 하나의 걸작

날씨가 바꾼 세계의 역사
로마제국의 번성에서 미국의 독립까지

로날트 D. 게르슈테 지음 | 강희진 옮김 | 320쪽 | 16,000원

로마제국의 번영과 멸망, 무적함대를 격파한 잉글랜드의 해군, 나폴레옹의 워털루 전투 패배, 프랑스 대혁명의 전조였던 흉작, 전대미문의 전염병 창궐, 《프랑켄슈타인》이라는 걸작의 탄생까지. 날씨와 기후변화는 인류 역사에 거대한 족적을 남겼다. 고대부터 현대의 기후 위기에 이르기까지 흥미로운 사례를 통해 세계사의 변곡점마다 등장한 날씨의 영향력을 알아본다.

“인구는 무엇보다 중요하고 언제나 그래왔다”
모든 역사적 사건의 배경에는 ‘인구’가 있다

인구의 힘
무엇이 국가의 운명을 좌우하고
세계사의 흐름을 바꾸는가

폴 몰랜드 지음 | 서정아 옮김 | 432쪽 | 18,000원

모든 역사적 사건의 기저에는 바로 ‘인구’가 있다. 인구의 변화를 면밀히 살피다 보면 세계사의 변곡점마다 인구가 결정적인 요소로 작용했다는 점을 알 수 있다. 이 책은 세계사적 큰 변화에 주요한 역할을 했음에도 불구하고 그간 [illegible]가되어왔던 인구 문제를 다룬 최초의 대[illegible]

서울대
소비트렌드
분석센터의
2023 전망

김난도
전미영
최지혜
이수진
권정윤
이준영
이향은
한다혜
이혜원
추예린

트렌드 코리아 2023

더 높은 도약을 준비하는 검은 토끼의 해

RABBIT JUMP

대한민국 No.1 트렌드서

'평균 실종'과
'오피스 빅뱅'의 2023

관계·일터·공간·나이……
모든 것이 재정의된다

미래의창

하지만 흥청망청은 싫었기에 원소주만의 원샷 패키지를 만들었다. 원소주를 원소주 굿즈 잔에 따라 원소주 디자인을 입힌 떡과 함께 판매했다. 굿즈 잔은 술을 마신 후 가져갈 수 있게 위생 포장해줬다. 우리의 히든카드는 원소주 로고가 박힌 백설기였다. 축하할 일이 생기면 감사의 마음을 담아 떡을 맞추고 돌렸던 옛 풍습(?)을 따른 것이다. 어느 누가 원소주 팝업에서 축하 떡을 기대했겠는가? 백설기에 대한 반응은 기대 이상이었고, 나이스웨더 팝업에서만 제공한 한정판이었기에 팝업 기간 내내 가장 많은 인기를 누렸다.

원소주 샷잔과 백설기로 구성한 원샷 패키지.

오픈런? 소주런!

무언가 새로운 시도를 할 때면 난 늘 불안하다. '과연 사람들이 많이 올까?', '반응이 없으면 어떡하지?', '혹시 사고가 나진 않겠지?' 초창기에는 팝업을 앞두고는 잠을 거의 못 잘 정도로 불안감에 시달렸다. 나이스웨더 팝업을 준비할 때는 이런 상태가 극에 달했다. 뭐든 첫 번째보다 두 번째가 부담이 더 큰 법이다. 더현대 서울 팝업이 워낙 성황리에 끝이 나서 사람들의 기대감은 더 높아졌을 것이고, 어쨌든 그때는 처음이라 더 많은 관심을 보여줬을지도 모른다.

나이스웨더는 로드숍이라 줄이 길어지면 사람들이 야외에 서 있어야 한다. 3월 중순이면 아직 겨울의 여운이 가시지 않은 때이기도 하고, 비 소식까지 겹쳐 마음을 더 졸였다. 불안한 마음을 없애려면 대비가 답이다. 우선 핫팩과 비옷을 준비하고 많은 비가 내릴 것을 대비해 천막을 칠 계획이었다. 이런 마음을 알아주기라도 한 듯 오픈 전날 밤 이미 첫 번째 고객이 줄을 섰다는 말도 안 되는 이야기가 들려왔다.

오픈 시간이 오후 5시임에도 불구하고 오전부터 나이스웨더 앞은 인산인해였다. 기자들까지 오픈런에 동참하며 원소주의 두 번째 팝업 소식을 실시간으로 전했다.

나이스웨더 팝업은 매일 정해진 수량만큼 인원 예약을 받아 5일간 진행했고, 최대한 많은 사람들이 원소주를 살 수 있도록 1인당 최대 8병으로 구매 수량을 제한했다. 구매 예약은 첫날 오후 1시에 이미 마감됐다.

더현대 서울 팝업에 이어 나이스웨더 팝업도 성공적이었다. 준비했던 수량 1만 병을 완판했고, 이번 팝업 스토어에서 선보인 원소주 유기 잔, 원소주 니트 잔&파우치 세트, 플레잉 원카드, 원소주 지거&셰이커 세트, 원소주 코스터 등 한정판 굿즈들도 반응이 좋았다. 매일 1천 명이 넘는 사람들이 원소주를 사기 위해 오픈런했으며,

나이스웨더 팝업 전경. 비가 오는 궂은날에도 어김없이 많은 사람들이 찾아왔다.

비가 내린 일요일은 더 많은 인파가 몰렸음에도 불구하고 사람들은 기다림의 힘듦보다 원소주 득템의 환희를 SNS에 공유해줬다.

원스피리츠는 원소주에 마케팅 비용을 거의 쓰지 않는다. 팝업 스토어 이외에 이렇다 할 마케팅을 한 적이 없다. 원소주를 득템한 사람들이 자발적으로 SNS에 인증샷을 올리고, 구매 후기나 시음 후기 등을 올렸는데, 이것이 자연스럽게 마케팅으로 이어졌다. 소비자와의 직접적이고 활발한 커뮤니케이션을 한 결과로 얻은 선물 같은 거였다.

원소주는 본질에 충실해 만든 증류식 소주다. 순간적인 유행을 생각하며 단맛을 섞거나 잔재주를 부린 술이 아니다. 진짜 술맛을 알고, 술 자체를 즐길 줄 아는 사람들이 오래도록 찾는 술이 되길 바라는 마음으로 만들었다. 때문에 원소주 구매자들을 단순히 고객이라고 생각하지 않는다. 원소주 문화를 함께 만들어가는 하나의 팀, WON팀이라고 생각한다. 문화란 사람이 만들어가는 것이기에 우리가 추구하고자 한 문화 또한 우리 힘만으로 되지 않는다는 걸 잘 알고 있다. 그래서 팝업을 선택했다. 사람들이 원소주와 함께할 수 있는 장소를 제공하고, 즐길 거리를 만들어준다면 자연스럽게 문화가 만들어지리라 믿었다.

힙한 무드를 강조한 나이스웨더 팝업은 원소주를 매장 내 테이블에서 디제잉 공연과 함께 즐길 수 있도록 했다.

온라인 판로 개척, 자사몰의 시작

모든 것이 순조로웠다. 적어도 온라인 판매가 시작되기 전까지는 그랬다. 오프라인 팝업의 분위기가 온라인까지 어느 정도 이어질 것이라 생각했지만, 예상했던 것을 훨씬 넘어섰다. 술(전통주, 지역특산주)을 온라인으로 살 수 있다는 것을 모르는 사람들이 많았기에 어느 정도 돌발상황은 대응할 수 있을 것이라 생각했지만, 정확하게 오판이었다.

평일 오전 11시, 하루 2천 병 한정 판매

원소주 탄생을 최대한 화려하게 알렸던 이유는 온라인 판매를 위한 빌드업이었다. 알음알음 입소문을 타기에는 주류 시장은 너무 보수적이었기에 전통주에만 주어진 혜택인 온라인 판매를 활용해야 했다. 온라인 쇼핑이 보편적인 시대지만, 술을 온라인에서 살 수 있다는 것을 아는 사람들은 생각보다 많지 않아서 어떻게 하면 온라인 판매를 활성화할 수 있을지에 대한 고민이 많았다. 그래서 사업 초창기부터 온라인 판매를 함께할 파트너를 찾았고, 자사몰 구축 준비를 해왔다.

2022년 3월 31일, 첫 제품을 출시하고 한 달 만에 연 원소주 홈페이지는 아직 원소주를 살 수 없음에도 접속자가 폭주했고, 회원가입 수가 맹렬하게 늘어나기 시작했다. 온라인 판매 파트너사는 시시각각 '동접(동시접속자)이 몇만이다', '회원가입 수가 몇만이다' 하는 정량적인 수치들을 계속 전달해왔다. 문제는 원소주 홈페이지는 수만의 동접을 견뎌낼 수 있는 서버가 아니었다. 그나마 우리가 쓰는 플랫폼에는 접속이 몰리는 사이트를 특별 관리하는 팀이 있었고, 그렇게 원소주는 특별 관리 대상이 됐다.

홈페이지 사전 오픈으로 서버 과부하에 대비할 수 있게 된 우리는 하루 2천 병 한정 판매를 하기로 했다. 괜한 욕심으로 감당하지 못할 일을 벌이고 싶지 않았다. 오전 11시가 가까워져 오자 회원가입자는 20만 명까지 늘어났고, 동접도 계속 늘어 20만 명이나 됐다. 기존 회원가입자에, 새롭게 회원가입을 하려는 사람들까지 접속하며 C/S뿐 아니라 모든 파트가 아수라장이 됐다.

11시. 드디어 구매 페이지가 열렸다. 구매 시스템 확인차 온라인 구매를 시도했지만, 1분이 채 되지 않은 시간에 하루 물량이 모두 판매됐다. 구매 버튼을 보지도 못 한 사람, 구매 페이지는 무사히 넘겼지만, 결제 단계에서 실패한 사람 등 후기도 빠르게 공유됐다. 첫 구매자와 마지막 구매자의 시간 차는 단 몇십 초 수준이었다. 감사하게도 물량은 연일 매진을 찍었지만, 큰 관심만큼 구매하지 못한 사람들의 원성은 갈수록 높아졌다. 최대 동접 40만을 넘어선 날도 있었으니 어느 정도 수준이었는지 짐작이 가리라 생각한다.

'하루 2천 병 한정 판매'가 마케팅이라고 말하는 사람들도 있지만(나도 마케팅이었다고 말할 수 있었으면 좋겠다), 어쩔 수 없는 선택이었다. 우리가 만들어 팔 수 있는 최대 수량이었을 뿐이다. 직접 빚은 옹기로 숙성하는 방식이라 옹기의 양을 무한정 늘릴 수 없었고, 원래는 하루가 아니라 한 달에 2천 병을 목표로 준비했다. 그렇게 매일 희비를 오가며 보냈다. 이후 자사몰이 어느 정도 자리를 잡아가면서 오전 11시마다 조여오던 초긴장 상태는 차츰 사라져갔다.

9분 만에 6만 3,915병이 나갔다고?!

안정적으로 판매가 이뤄지고 있다고 생각했던 4월 20일, 사건이 터졌다. 오전 11시 30분쯤이었을까, 오전 미팅을 마치고 나오는데 아내에게 연락이 왔다. 평소 원소주에 관해 적극적으로 모니터링을 해줬기에 대수롭지 않게 전화를 받았다. 그런데 수화기 너머로 아내의 다급한 목소리가 들려왔다. "원소주 구매 성공 후기가 너무 많이 올라오는데? 평소의 몇 배는 되는 것 같아." 느낌이 좋지 않았다. 바로 온라인 판매 파트너사 (이전) 담당자에게 연락했더니 "원인을 파악한 후 해결하고 연락드리려고 했습니다"라는 답이 돌아왔다(아이고 이 사람아ㅠ).

문제는 재고를 제한하는 체크 박스에 체크가 되어 있지 않아 마이너스 재고로 9분 만에 6만 3,915병이 팔린 것이다. 심지어 26분 만에 결제까지 완료됐다. 이미 엎질러진 물이다. 이럴 때는 상황 판단이 빨라야 하고 배짱도 있어야 한다. 잘잘못을 따지는 것은 사고를 수습하고 난 뒤의 이야기다. 원소주 구매에 성공한 사람들은 재빠르게 인증샷을 남겼고, 난 이 모든 사람에게 "죄송합니다. 시스템 오류로 구매하신 건에 대해서는 취소가 이뤄져야 합니다"라고 이야기할 수 없었다. 6만 3,915병이면 한 달 물량이었고, 이를 해결할 방법은 단 하나였다.

'온라인 판매 중단'

더 생각할 겨를이 없었다. 조치는 늦어질수록 문제만 커질 뿐이다. 나는 박재범 대표와 김수혁 이사에게 이 내용을 공유하고 바로 사과문과 함께 공지문을 올렸다. 이런 문제가 발생했고, 최선을 다해 모든 주문 건을 이른 시일 내에 배송할 테니 만약 배송이 늦어져 취소를 원한다면 빠르게 처리 도와드리겠다는 골자의 내용이었다. 당시 온라인 판매가 유일했기에 자사몰을 닫는다는 것은 우리에게도 치명적인 선택이었지만, 고객을 위한 유일한 방법이었다.

정말 감사하게도 구매한 대부분의 고객들이 취소 없이 원소주를 기다려줬다. 비즈니스를 전개하다 보면 예상하지 못하는 곳에서 꼭 일이 터진다. 그럴 때 피하려 하거나 변칙적인 방법을 택하지 말아야 한다. 솔직하게 진심을 전하는 것만이 유일한 방법이다. 그러면 또 다른 기회가 열린다. 분명 큰 사고였지만, 이 일은 언론에 도배됐고 의도치 않게 마케팅됐다.

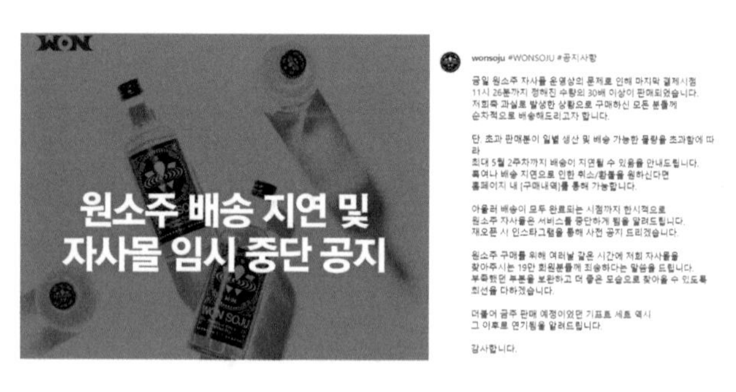

자사몰 임시 중단 공지. 우리의 과실을 인정하고 사과하며 해결 방법을 빠르게 알리는 것이 가장 우선이자 최선의 방법이었다.

재오픈 너마저

자사몰을 닫고 한 달 정도가 지난 시점이었다. 생산, 배송 등 부족한 부분들을 보완하고, 자사몰 관리를 더욱 강화했다. 오프라인 판매를 준비하고 있긴 했지만, 당시 원소주의 판로는 자사몰밖에 없었기에 빠른 정상화가 필요했다. 재오픈 기념으로(기다려준 사람들에 대한 감사한 마음으로) 원소주 2병과 언더록스 잔 2개가 포함된 기프트 패키지를 1일 500세트 한정으로 딱 5일간 판매하기로 했다.

5월 16일 오전 11시, 처음 자사몰을 열었을 때와 같은 반응을 보일지 우려하며 자사몰을 재오픈했다. 다행히 시스템은 잘 움직여줬고, 제품은 곧바로 품절됐다. 그렇게 17일, 18일 좋은 분위기를 이어갔지만, 3일 만에 다시 사고가 터졌다. 여느 때처럼 바쁘게 미팅을 마치고 나왔는데, 원소주 인스타그램 계정이 악플로 도배되고 있었다. 오전 11시 정각에 열려야 할 구매 버튼이 11시 9분에 열린 것이다. 사용하고 있는 플랫폼이 일일 한정 수량 판매 자동화를 진행하지 않아 사람이 직접 매일 동시간대에 열다 보니 사고가 날 가능성이 높은 구조이기는 하나, 단순하게 구매 버튼만 열면 되기에 큰 문제가 없을 것이라 생각했다. 그런데 오픈 시간 전부터 많은 사람들이 몰리다 보니 제때 관리자 페이지에서 구매 버튼을 열어도 반영

지연이 발생했고, 급기야 구매 버튼 페이지가 9분 동안 열리지 않은 사태가 발생한 것이다.

빠르게 문제를 수습하고 바로 사과문을 올렸지만, 고객들의 반응은 이전과 달랐다. 또다시 일어난 사고에 대한 반응은 냉혹했다. 자사몰은 그렇게 두 달을 채우지 못하고 멈췄다. 온라인 판매를 진행하며 우리의 부족함이 여실히 드러났고, 우리는 자사몰을 잠정 폐쇄하기로 결정했다. 가끔 자사몰을 언제 오픈한다는 루머가 떠돌았지만, 완벽에 완벽을 가할 때까지는 온라인 판매를 하지 않기로 마음먹었다.

WONvenience store: GS25

한정 수량은 어쩔 수 없는 선택이었다. 우리는 더 많은 사람들이 원소주를 경험하길 바랐고, 좀 더 쉽게 접할 수 있기를 원했다. 생산량을 늘리고 판로를 개척하기까지 3개월이 넘는 논의 과정에 담긴 이야기가 너무나 많다. 그 시작점인 GS25와의 만남은 3장에서 더 자세히 다루는 것으로 하고, 여기서는 GS25와 컬래버레이션한 첫 작품인 GS WON에 관한 이야기를 해보겠다.

더 큰 도약을 향해

자사몰을 닫았다. 원래는 자사몰을 활성화한 후 GS25와의 팝업 마케팅을 전개하며 두 번째 제품인 원소주 스피릿의 오프라인 론칭을 준비할 계획이었다. 그런데 자사몰이 기프트 패키지 판매를 끝으로 무기한 리뉴얼에 들어가 버렸다. 재오픈마저 문제를 겪고 나니 완벽해지기 전까지 다시 열 생각이 들지 않았다. 우리 입장에서 자사몰을 닫는다는 것은 제품을 유통할 아무런 판로가 없음을 뜻했고, 소비자 입장에서는 더 이상 원소주를 살 수 있는 길이 없음을 의미했다.

두려웠다. 너무 빠르게 과분한 사랑을 받다 보니 잊히는 것도 그만큼 빠르지 않을까 하는 생각이 들었다. 그럼에도 우리는 또 다른 시작을 위해 멈춰야 했다. 나는 이때 더 큰 도약을 위한 준비의 시간이 생긴 거라 여겼다. 계획이 조금 변경됐지만, 다음 스텝을 더 견고하게 다질 수 있는 시간이라고 생각했다. 그렇게 세 번째 팝업이자 오프라인 유통의 시작, 그리고 두 번째 제품 출시를 위해 우리는 다시 달렸다.

GS25는 이미 부산에서 7월 말에 'GS25 뮤비페'를 계획 중이었다. 서울에서 이미 두 차례 팝업을 진행했기에 그다음 팝업으로 부산은 제격이라 생각했다. 대부분의 팝업 스토어가 그렇듯 장소는 협업하는 업체의 매장을 새롭게 리뉴얼해 활용한다. 더현대 서울과 나이스웨더처럼 말이다. GS25 매장은 부산에 수백 개였고, 우리는 그중 하나를 선택하면 됐을지도 모른다. 하지만 그 길을 가지 않았다. 우리는 진짜 GS WON 매장을 내고 싶었고, 그 길로 부동산 투어가 시작됐다(지역 결정은 일사천리였지만, 정작 장소 결정은 가장 힘들었다).

여러 후보군 중 답사를 거쳐 결정된 곳은 전포동에 있는 공실 건물이었다. 원했던 것보다 공간도 작고 건물이 낡아

GS WON의 비포 앤 애프터. 공실이었던 건물 전체를 임대해 원소주 편의점으로 탈바꿈했다.

손댈 곳이 많았지만, 건물 앞 공간이 넓어 사람들이 모이면 북적이는 모습을 만들어낼 수 있을 것 같았다. 무엇보다 비포 앤 애프터가 확연히 드러나는 곳이라 생각했다. 되레 기대할 것이 없는 공간이었기에 작업이 더 기대됐다.

편의점이지만 편의점이 아니라고?!

장소도 결정됐겠다, 이제 그곳을 마음대로 가지고 놀기만 하면 되는 시간이다. 진짜 우리 매장을 내고 싶었던 만큼 원소주의 아이덴티티로 가득 채운 편의점을 만들기로 했다. 겉에서 보면 분명 편의점인데 편의점이 아닌 그런 곳, 소주다워야 하지만 소주답지 않은 원소주처럼 말이다. 이름하여 WONvenience store, GS WON. 세 번째 팝업이어서 그런지 콘셉트가 정해지자 그다음은 어떻게 해야 하는지가 어렵지 않게 그려졌다.

혹시 GS25의 의미를 아는 사람이 있는가? 24시간 열려 있는 편의점에 왜 25라는 숫자를 붙였는지 궁금하지 않은가? GS25에는 24시간에 서비스 1을 플러스해 25시간처럼 일하는 편의점이라는 뜻이 담겨 있다. 우리는 이 의미가 좋았다. 무엇보다 곧 출시될 원소주 두 번째 제품이 24도였기에 GS25의 의미를 모티브 삼아 포스터에 스포일러를 하고자 했다(알아챈 사람이 있었을까 궁금하다).

FOR THE PAST & TO THE FUTURE GS WON FOR THE PAST & TO THE FUTURE

GS25 x WON

WONVENIENCE

POP-UP STORE IN BUSAN

2022. 5.31(TUE) - 6. 6(MON)

2 3 4 5

10 9 8 7 6

11 12 13 14 15

20 19 18 17 16

21 22 23 24 GS25

GS WON 포스터. 원소주에서 시작해 GS25로 향하는 여정을 담았다.

소스가 정해지자마자 나이스웨더 팝업 때 함께 작업한 아티스트 레어벌스에게 메인 포스터를 의뢰했고, 이어 GS25의 지원사격이 시작됐다. 그들은 우리가 GS25와의 협업을 오픈하는 시점에 맞춰 모든 채널을 동원해 마케팅해줬다.

2022년 5월 21일, 드디어 원소주가 부산에 상륙했다. 7일간 열린 이번 팝업은 부산 전체를 들썩거리게 했다. 팝업 스토어가 열리는 첫날 오전 10시 예약 오픈, 11시 정식 오픈을 앞두고 불안한 나는 7시쯤 미리 현장을 찾았다. 그 시간부터 300~400명 정도 되는 인원이 줄을 서 있었고,

GS WON 전경. 7일간 진행된 원소주 편의점은 첫날에만 1천여 명 넘게 방문했다.

전포동 거리는 이내 사람들로 가득 찼다. 오픈 전에 이미 1천 명을 넘어, 줄이 도로변까지 이어지는 위험한 상황이었다. 하루 판매 수량이 한정되어 있었기에 구매가 불가한 사람들에게는 빠르게 이 사실을 안내했다. 다행히 줄은 빠르게 해산됐고, 큰 사고 없이 마무리됐다.

6월 1일 둘째 날은 지방선거 날이었다. 공휴일이라 더 많은 사람들이 몰릴 것을 예상해 만반의 준비를 했다. 그런데 오전 7시쯤 현장을 찾았을 때 이미 1천 명이 넘는 인원이 기다리고 있었고, 시간이 지날수록 카운팅하는 것이 무의미한 상황이었다. 부산 시민들은 GS WON을 열렬히 반기며 붐빔마저 즐겨줬고, 덕분에 7일 내내 엄청난 인파를 불러들이며 총 3만 병이 팔렸다(완판!).

GS WON은 건물을 임대해 내외부 인테리어부터 정리까지 하나하나 우리 손으로 직접 만들었다. 원소주로 브랜딩한 오브제들도 가득 채워 편의점이 아닌 느낌을 강조하면서도 워크인쿨러, 오픈 쇼케이스 등 실제 GS25에서 사용하는 물품들을 활용하여 편의점 느낌도 잃지 않았다. 팝업 기간 중 진짜 편의점인 줄 알고 들어온 어르신들이 종종 있었는데, 우리가 원하는 바가 잘 표현됐기에 일어난 작은 에피소드였다고 생각한다. 이 공간을 일주일만 운영한다는 것이 아쉬워 쇼룸으로 남겨

놓을까 고민도 했었고, 진짜 편의점을 열고 싶다는 문의도 있었다. 심지어 바뀐 건물의 내외부를 본 건물주는 마음에 든다며 원상복구를 요구하지도 않았다(확인하지는 않았지만 이후 빠르게 임대가 나가지 않았을까 싶다).

MZ들의 놀이터

우리는 우리가 일으킨 파동을 모든 세대를 아우르는 큰 파도로 만들고 싶었다. 그 파동을 파도로 바꾸는 데에는 MZ세대의 역할이 컸다. 그들은 우리가 이야기하고자 하는 것들을 정확하게 캐치하고, 공감했으며, 확산시켰다. 부산 KBS의 월간부산 다큐멘터리 〈MZ세대, 술판이 바뀐다〉를 보면 이런 GS WON의 모습이 생생하게 나온다.

GS WON은 MZ세대를 유혹하기에 충분했다. 그들이 갖고 싶은 것들로 가득 채우기 위해 각각의 브랜드들이 가진 헤리티지를 가져오며, 컬래버레이션한 굿즈들을 새롭게 제작했다. 실제로 아티스트 브랜드 다크룸 스튜디오와 협업한 원소주 모자는 오픈하자마자 30분도 채 되지 않아 매진됐다. 다른 브랜드와의 굿즈들도 오픈 첫날 전량 매진되며 그들의 위력을 다시금 실감할 수 있었다.

원소주의 자체 굿즈도 그에 못지않은 인기를 누렸다. 편의점을 콘셉트로 한 팝업 스토어답게 실제 편의점에서

GS WON은 편의점 콘셉트에 맞게 워크인쿨러에 원소주를 진열하고 ATM기, 포스기 등은 원소주 BI를 활용해 포토존으로 만들었다. 이번 팝업에만 만날 수 있는 원소주 3종 패키지도 인기가 좋았다.

판매하는 우산, 매트, 가방, 슬리퍼, 키링, 골프공, 볼마커, 볼펜, 스티커 세트 등으로 제품을 구성했다. 삼각김밥 포장으로 티셔츠를 만들어볼까, 워크인쿨러 안에 티셔츠를 걸어볼까 등 여러 아이디어가 있었지만, 다 담을 수 없음이 아쉬울 정도였다.

원소주 패키지도 빠질 수 없는 인기 품목이다. 매번 해당 팝업 스토어에서만 구매할 수 있는 원소주 패키지를 만들었는데, GS WON 팝업에서는 원소주 디자이너 남무와 샘바이펜, 로우디가 디자인에 참여해 총 3종의 각기 다른 패키지를 만들었다. 덕분에 사람들은 자신의 취향에 맞는 디자인을 고르는 재미를 즐겼다(3종을 모두 산 사람들도 있었다).

팝업 스토어는 한정판을 구매할 수 있다는 메리트만큼이나 포토 스팟이 중요하다. 앞에서도 언급했듯이 팝업 스토어는 MZ세대의 놀이터다. 그들의 놀이터에 인증샷이 빠지면 안 된다. 내가 원소주 팝업에 왔다고 자랑할 수 있는 포토존을 팝업 스토어 곳곳에 배치했다. 원소주 패키지로 가득 찬 음료 진열대, 원카드와 원소주 미니어처로 꾸민 계산대, 원소주 로고로 도배된 ATM기까지 어느 곳도 그냥 지나칠 수 없게 만들었다. 물론 인증샷 이벤트도 잊지 않았다.

편의점 창가에 DJ 부스를 설치해 기다리는 사람들을 위해
즉석 공연을 펼치기도 했다.

3

+

WON한다면

월 100만 병을 목표로 하다

원소주는 수요에 비해 공급량이 턱없이 부족했다. 생산량이 월 4만 병 규모로 온라인 자사몰에서 소화할 물량도 겨우 맞추고 있는 상황이었다. 그렇다고 생산량을 무한정 늘릴 수 있는 것도 아니었다. 아무리 담금을 많이 한다고 해도 숙성하는 옹기의 생산량에는 한계가 있었다. 사람들은 점점 구매의 어려움에 지쳐갔고, 엎친 데 덮친 격으로 온라인 자사몰까지 문을 닫았다. 우리는 판단이 필요했다.
지금 이 방향이 맞는 걸까?

희소성 vs 대중화, 두 마리 토끼 잡기

앞서 언급했지만, 한정 수량은 어쩔 수 없는 선택이었다. 원소주가 희소성을 가지길 바라기도 했지만, 많은 사람들이 즐기는 술이 되는 것이 더 큰 목표였다. 이를 위해 론칭 두 달 전인 2022년 1월 6일 원소주 샘플 한 병을 들고 GS25를 찾았다. 원소주 출시 몇 달 전부터 발 빠른 유통사와 브랜드들이 연락해오기 시작했는데, 이때 연락한 업체 중 한 곳이 GS25였다. 제품 관련해서는 어떠한 것도 노출이 안

된 상태였기에 박재범 대표가 만든 소주 브랜드라는 이유로 어느 정도 시장성을 보고 접근한 수준인 것 같았다.

원소주가 출시되고 많은 사람들의 사랑을 받게 된다면, 그렇게 원소주가 대중에게 좀 더 다가가야 하는 시점이 온다면, 특정 유통사와 독점 판매를 해야겠다고 생각했다. 개인적인 마음으로는 원소주가 평범한 술이 되길 원치 않았고, 현실적으로는 여러 유통사에 공급할 수량을 확보할 수 없었다. 브랜드 입장에서도 독점 판매를 해야 유통사 측에서 우리 제품에 좀 더 신경을 써줄 것이라 판단했고, 대중화가 목표였기에 전국 단위로 빠르게 전개될 수 있는 곳이면 좋겠다고 생각했다.

이를 위해 연락해온 업체 리스트를 검토하는데, 눈에 띄는 곳이 있었다. 편의점이었다. 모든 편의점 업체에서 연락이 와 더 눈에 띄었는지도 모르겠다. 편의점은 언제 어디서든 누구나 쉽게 이용할 수 있고, 소비자의 반응을 바로 느낄 수 있는 곳으로 최적이라고 생각했다. 그때까지만 해도 대량 생산 문제를 해결하지 못한 상황이었기에 우리의 속도에 맞출 수 있는 곳이 필요했고, 그렇게 GS25와의 만남이 성사됐다.

‘월 100만 병’

뜻이 맞은 GS25와의 여러 차례 미팅 끝에 독점 유통이라는 희소성과 편의점이라는 대중성에 부합하는 상징적인 숫자가 나왔다. 편의점에서 유통되고 있는 주류 중 원소주와 비슷한 가격대에서 가장 인기 있는 제품의 월 판매 수량에서 목표 숫자를 정했다. GS25가 1만 6천 개 정도의 점포를 보유하고 있기에 한 점포당 월 60병 정도 납품하면 달성 가능한 숫자라고 판단했다.

월 60병이면 하루 2병이다. 대부분의 사람들이 '술 좀 마시네'라고 판단하는 주량 기준은 소주 2병쯤 될 것이다. 원소주는 부어라 마셔라 하는 소주는 아니니 적당히 즐기며 마신다면 한두 명이 1병 정도 마실 것이다. '100만 병'이라는 숫자가 엄청나 보이지만, 하루에 원소주 구매에 성공할 수 있는 사람은 점포당 한두 명으로 한정적이 된다. 전국 유통이라는 대중성을 가져오면서도 희소성을 잃지 않는 숫자였다.

왜 편의점이냐고?

처음 편의점 유통에 대한 생각을 꺼냈을 때는 반대 의견도 있었다. 프리미엄 증류식 소주로 포지셔닝했으니 그에 걸맞게 백화점이나 고급 레스토랑, 바 같은 곳에 들어가는 것이 맞는다는 것이었다. 이 말도 맞는 말이다. 하지만 그런 말도 있지 않는가? "누구는 명품을 입어도 티가 안 나지만, 누구는 아무거나 입어도 명품처럼 보인다." 나는 원소주가 어디에서 유통되건 프리미엄 증류식 소주라는 이미지에 타격을 입을 거라 생각하지 않았다. 원소주란 이름 하나만으로도 인정받는, 충분히 네임벨류 있는 술이 될 거라는 확신이 있었다.

요즘 소비자들은 좋은 제품을 기가 막히게 찾아낸다. 어디서 유통하는지, 가격은 얼마나 비싼지로 프리미엄을 판단하지 않는다. 그렇다면 프리미엄 한 공간에 있어서 프리미엄 하게 보이는 것이 아닌, 원소주가 있는 곳이 프리미엄 한 공간이 되게 만들면 되는 것이다. 또한 산업통상자원부 발표에 따르면 2021년에는 편의점 3사의 매출이 대형마트 3사의 매출을 사상 처음으로 앞질렀다고 했다. 편의점은 소비자와의 접근성이 좋아 시장 반응만 올라온다면 앞으로의 시장에서 놀라운 파급력을 보여주는 유통채널이 될 것이라고 생각했다. 무엇보다 편의점은 곰표 맥주라는 성공 사례를 가지고 있었고, 박재범 대표도 원소주가 식당에 납품되어 4~5만 원에 팔리는 것을 원하지 않았다.

판단은 적중했다. 편의점은 '포켓몬 빵' 열풍을 일으키며 MZ세대의 힙한 채널로 진화했다. 원소주 편의점 유통 후에는 주류 시장 트렌드조차 편의점을 중심으로 빠르게 변화했다. 한 업계 관계자는 "MZ세대 이용객이 많은 공간에서 팝업 스토어 오픈으로 화제를 모은 다음, 편의점에서 인기를 이어가는 것이 주류의 새로운 성공 방식처럼 되고 있다"고 말했다.♦ 이후 새롭게 출시된 주류들은 원소주가 밟아온 과정을 그대로 답습하기도 했다.

원소주의 편의점 유통은 시작에 불과하다. GS25는 새로운 술 문화를 만들기 위한 원소주의 행보에 전폭적인 지원을 해줬다. 덕분에 부산을 들썩거리게 만든 팝업 스토어, 스트리트 브랜드 및 아티스트와의 협업, 페스티벌, 다양한 콘텐츠 및 기획 상품들까지 소비자와 꾸준히 소통하며 술 문화를 바꿔가는 굵직굵직한 사건들을 만들 수 있었다. 단순히 이해관계로 움직이는 파트너였다면 이렇게 하지 못했을 것이다.

농사짓다 강원도 지자체 만난 이야기

우리는 농번기가 되면 매달 한 번 이상은 강원도 원주로 농사를 지으러 간다. 원소주가 출시되고 기대 이상의 판매를

♦ "팝업→편의점…'酒류의 주류' 코스되다", 헤럴드경제, 2022.09.20.

농사꾼 원스피리츠와 박재범 대표. 원소주를 시작하고 농사일은 꾸준히 하는 일 중 하나다. 우리는 원소주와 관련된 일은 어느 하나 허투루 하지 않았다.

기록하면서 집과 미팅 그리고 원주에 있는 양조장만 갔던 것 같다. 두 번째 제품 출시를 앞두고 공장 증설 등 여러 문제에 직면하고 있을 때쯤 강원도 지사 쪽에서 원스피리츠와의 만남을 원한다는 이야기를 듣게 됐다(2022 지방선거가 끝나고 얼마 지나지 않은 시점이었다). 귀농을 한 사람들은 알 것이다. 지방에서 지역 관련 사업을 시작할 때 지자체의 도움이 필요하다는 것을 말이다(우리는 귀농은 아니었지만). 우리는 그들의 제안에 응답했고, 당시 당선인의 보좌관과 직접 연락을 취해 미팅은 일주일 만에 일사천리로 이뤄졌다.

강원도 지사가 당선인 신분으로 처음 만난 기업이 원스피리츠였기에 우리에게도 큰 의미가 있는 만남이었다. 사실 이 만남은 긴밀하게 소통하며 최대한 간소하게 진행되도록 요청했는데, 강원도청 방문 당일, 도청 내부에 소문이 나면서 언론사 카메라에 둘러싸여 이야기를 나눴던 기억이 난다. 이를 모르고 온 우리는 수많은 인파에 당황했지만 환대해줘서 감사했다(편한 복장의 당황하는 박재범 대표의 모습이 찍힌 관련 기사를 본 적 있을 것이다).

당황해 어쩔 줄 몰라 했던 나와 달리 박재범 대표는 바로 상황을 캐치했다. 자신을 보러와 준 도청 직원들에게 감사를 표했다. 심지어 별도의 시간을 내어 사진도 찍고 사인도 하는 등 흡사 팬 미팅 같은 모습이었다. 이날 춘천 닭갈비를 선물 받았는데, 원소주와 잘 어울리는 맛이어서 깜짝 놀랐다(여러분도 이 조합을 즐겨보길 바란다).

가벼운(?) 행사를 마친 후 별도의 공간에서 김진태 강원도 지사, 원강수 원주 시장, 박재범 대표를 포함한 원스피리츠 실무진들이 미팅을 가졌다. 우리는 원소주의 대중화와 수출에 필요한 도움을 요청했고, 강원도와 원주시는 적극적으로 지원해주겠다고 답했다. 든든한 지원군을 얻은 느낌이었다. 원스피리츠에게는 낯설었던 강원도 원주에 뿌리를 내리면서 우리는 주변의 많은 사람들에게 도움을 받고 있다. 원스피리츠는 그에 보답하기 위해, 지역경제 활성화를 위해, 그리고 강원 특별 자치도의 1호 기업이 되기 위해 최선을 다하는 중이다.

특명, 공급을 늘려라: 공장 증설&토토미 싹쓸이

월 100만 병을 위해서는 공장 증설이 필요했다. 대량 생산에 가장 큰 문제가 되는 옹기 숙성 과정을 제외하고 최대한 생산량을 끌어올린다고 해도 현재 위탁 제조 업체가 생산하는 양으로는 감당할 수 없었다. 문제는 공장을 새롭게 짓고 정상 가동을 하는 데 빨라도 9개월의 시간이 소요된다는 것이었다. 강원도가 도와준다고 해도 부지를 확보하고 공장을 짓고, 생산 시설을 채우고, 술 생산 업체로 허가받고, 생산 및 납품까지, 그 모든 과정을 거친 후에야 유통이 가능하다는 사실에 엄두가 나질 않았다.

가장 빠른 방법은 기존 위탁 제조 업체의 공장 증설이었다. 원소주를 생산하고 있는 고헌정과 새롭게 함께할 모월이 다 같이 모여 이 문제를 협의했다(이때 원소주를 생산할 수 있는 지역 양조장들을 추가로 더 만났고, 그들과도 새로운 프로젝트를 준비 중이다). 다행히 고헌정 측에서는 GS25 납품 물량까지는 애써보겠다고 했고, 모월도 공장 증설에 동참해줬다. 현재 원소주와 원소주 스피릿은 고헌정에서,

원소주 클래식은 모월에서 생산하고 있다. 생산과 공장 증설을 동시에 진행해야만 하는 상황이었음에도 고헌정은 안정적인 생산과 납품을 위해 밤낮없이 최선을 다해줬다. 원소주를 구매했다면 제조 일자를 한번 확인해보라. 구매한 날로부터 불과 며칠 전에 생산된 제품일 것이다. 희소성을 위해 일부러 물량을 적게 생산하는 것이 아니라 생산하는 대로 바로 납품 중이니 조금만 따뜻한 시선으로 바라봐주면 좋겠다.

현재 공장 증설은 마무리된 상황이라 GS25 공급 물량은 안정화됐고, 추가 물량은 오프라인 유통을 확대하기보다 원소주의 본 목표였던 수출에 활용할 예정이다. 2023년이 되면 첫 수출이 가능할 것으로 보이고, 앞으로는 고헌정, 모월 이외에도 담을술공방, 한강주조 등 여러 지역 양조장들과 협업해 전통주와 지역을 살리기 위한 노력을 지속할 예정이다.

원소주는 지역 양조장뿐 아니라 지역 농민들에게도 새로운 판로가 되고 있다. 쌀 소비량이 점점 줄어들면서 쌀이 남아돌자 정부는 떨어지는 쌀값 안정을 위해 대신 쌀을 구매해주고 있다. 그런데 작년 쌀도 재고로 남아돌고 있다는데 언제까지 이 정책이 유효할 수 있을까? 나는 쌀 소비에 있어서 가장 좋은 판로는 술이라고 생각한다. 원주

농협 관계자에 따르면 농민 입장에서는 판로가 여러 개인 것보다 안정적으로 많은 양을 수급해가는 단일화된 판로가 있는 것이 훨씬 좋다고 한다.

원소주는 원주쌀 토토미를 100% 사용한다. 이 말은, 즉 원소주가 토토미를 싹쓸이 소비하고 있다는 것이다. 토토미는 원주시 문막 평야에서 생산되는 쌀로 남한강 상류를 이루는 기름진 섬강 주변에서 재배되어 맛과 질이 우수하다. 우리는 좋은 원재료 덕분에 좋은 향과 맛이 나는 술을 만들 수 있어 좋고, 농민들은 힘들게 키운 쌀을 공급할 수 있어 좋다. 원소주는 지역 농민들에게도 응원받고 있다. 내가 그리는 미래에는 강원도 전역의 쌀을 전부 다 소비해보는 것도 포함되어 있다. 그렇게 된다면 토토미도 세계적으로 유명한 쌀이 되지 않을까?

원소주 스피릿: +2도의 차이

"모두가 Yes라고 할 때 No라고 말할 수 있는 사람"

2001년 동원증권의 광고 카피다. 당시 이 광고는 큰 반응을 얻었고, 20년이 지난 지금도 기억에 남는 광고 카피 중 하나다. 모든 술이 더 낮은 도수가 정답인 것처럼 경쟁적으로 저도주를 출시할 때 원스피리츠는 또 한 번 다른 선택을 했다. 첫 제품이었던 22도 원소주에서 2도를 올려 두 번째 제품, '원소주 스피릿'을 출시했다. 우리는 왜 남들과 다른 선택을 했을까? 시대의 흐름을 역행한 선택이었을까? 아니다. 우리는 시대의 흐름을 이끌고자 했다.

도수는 올리고 가격은 내리고

원소주가 오랫동안 사랑받기 위해서는 술을 좋아하는 사람들이 선택한 술이어야 하고, 그들이 다양한 음식과 함께 자주 마시는 술이 되어야 한다고 생각한다. 원소주 22도를 출시하고 소위 술꾼이라 할 수 있는 사람들에게 가장 많이 들었던 이야기는 술이 밍밍하다는 것이었다.

희석식 소주와 증류식 소주는 다르지만, 희석식 소주에 익숙한 일반 사람들에게 알코올 함량 20% 이상은 분명 크게 느껴질 것이기에 22도는 증류식 소주의 맛과 매력을 알릴 수 있는 가장 낮은 마지노선이었다. 하지만 술맛을 아는 사람들에게는 역시나 아쉬운 도수였던 것이다.

나는 더 높은 도수를 원했다. 두 번째 제품을 출시하게 된다면 무조건 더 높은 도수의 술을 만들고 싶었다. 여러 번 강조했지만, 증류식 소주는 도수가 올라갈수록 맛있다. 도수를 낮추는 건 자살골 같은 행위나 다름없다. 하지만 회사도, 유통사도 도수를 올리는 것에는 난색을 표했다. 이제 와 하는 이야기지만, 당시 고도수에 긍정적이었던 사람은 박재범 대표뿐이었다. 회사 입장도 이해가 안 되는 것은 아니었다. 원소주 22도의 반응이 너무 좋았고, 이를 좋아하는 사람들도 분명 많았기 때문이다.

그럼에도 고도수를 선택한 이유는 술맛이다. 우리는 소비자에게 더 맛있는 술을 선보이고 싶었다. 그리고 무엇보다 원소주는 증류식 소주다. 희석식 소주에 익숙한 소비자들에게 증류식 소주의 맛을 알리기 위해 만든 술이다. 그렇다면 그 본질을 찾아가는 게 맞다고 판단했다. 덤으로 새로운 도수의 제품을 내면 원소주 22도와 비교하는 콘텐츠들이 자발적으로 만들어질 것이라고 생각했다.

결과는 적중했다. 원소주 스피릿이 출시되자마자 신제품 소개 콘텐츠뿐 아니라 원소주와 비교하는 콘텐츠들이 쏟아져나왔다. 사람들은 왜 2도를 올렸는지 그 이유를 찾거나 자신의 취향은 무엇인지 이야기하는 등 원소주를 가지고 다양한 콘텐츠들을 만들어냈다. 무엇보다 높은 도수가 주는 알코올의 타격감에 술꾼들이 반응했고, 높은 도수에 비해 깔끔하고 부드러운 맛 때문에 도수에 의미를 두지 않는 사람들도 생겨났다. 도수가 높아 스트레이트가 힘든 사람들은 온더록스나 하이볼, 칵테일 형태로 즐기기 시작했다.

도수를 2도 올린다는 것은 가격을 올릴 수밖에 없음을 의미한다. 도수가 올라가면 증류 원액이 더 많이 들어가기 때문이다. 그런데 원소주 스피릿은 원소주에서 2도 올린 24도인데도 가격은 더 낮췄다. 아마 도수를 올리고 가격을 낮춘 술은 본 적 없을 것이다. 쉽지 않은 결정이었다. 원소주를 많이 유통하지 못한 아쉬움에 원소주 스피릿은 초기부터 좀 더 많은 사람들이 즐길 수 있도록 물량을 늘렸고, 편의점 유통을 선택했다. 우리는 가격도 그 방향과 함께 가야 한다고 생각했다. 제조 공정을 간소화하고 부자재를 대량 생산하면서 얻게 된 비용 절감으로 가격을 낮추고, 그렇게 얻게 된 가격 경쟁력을 통해 증류식 소주의 문턱도 낮추고자 했다.

숙성하지 않은 증류주, 에어링 공정

원소주를 대량 생산하는데 가장 큰 걸림돌은 숙성이었다. 숙성용 옹기는 손수 빚어야 해서 한 달에 몇 개 정도밖에 공급받을 수 없기 때문이다. 옹기에 숙성을 계속한다면 대중화는 영원히 포기해야 한다. 숙성을 제외하더라도 증류식 소주는 양조하는 과정 자체가 고관여이기에 희석식 소주처럼 생산량을 무한정 늘릴 수는 없지만, 원소주를 원하는 사람들이 좀 더 쉽게 원소주를 구할 수 있게 하려면 현실적으로 선택할 수 있는 방법은 숙성을 포기하는 것뿐이었다.

하지만 옹기 숙성이 주는 가치는 단순하게 술의 밸런스를 잡고, 원소주에 한국적인 요소를 하나 더 추가하는 것 이상이었기에 쉽게 포기할 수 있는 부분이 아니었다. 원소주를 처음 마셔본 사람들은 '맛이 깔끔하고, 부드럽다'는 이야기를 많이 한다. 깔끔함은 증류나 여과 방식에서 느낄 수 있고, 부드러움은 숙성이 주는 가치이자 매력이다. 우리가 생산량을 늘리기 위해 숙성을 포기한다는 것은 이 부드러움을 포기한다는 것을 의미했다.

하늘은 스스로 돕는 자를 돕는다고 했던가? 우리는 옹기 숙성을 하지 않아도 옹기 숙성과 같은 부드러움을 낼 수 있는 공정을 발견했다. 술에 산소를 주입하는 에어링 공정인데, 원소주를 위탁 생산하고 있는 고헌정에서 우리의 고민을 듣고 제안해줬다. 옹기 숙성 부분에서 이야기했듯 옹기는 숨을 쉬기 때문에 자연스럽게 술에 산소가 들어가 술맛을 부드럽게 해주는데, 에어링 공정은 인위적으로 술에 산소를 넣어 옹기 숙성과 같은 효과를 내면서 술맛의 밸런스를 잡아주고 부드러움을 배가시킨다. 다행히 고헌정 공장 증설 과정에 이 공정을 추가할 수 있었다. 공정이 추가되면 설비 투자도 늘고 생산 단가도 높아지지만, 생산량을 늘리면서 옹기 숙성에 준하는 효과를 볼 수 있다면 선택하지 않을 이유가 없었다. 그렇게 우리는 도수를 2도 올리면서도 원소주 특유의 부드러움을 지킬 수 있었다.

원소주의 경우 차갑게 마시면 향이 좀 덜하고 부드러움이 감소해 미지근한 소주나 온더록스로 마시길 권했다. 하지만 원소주 스피릿은 차갑게 마셔도 향과 부드러움이 죽지 않는다. 오히려 깔끔함이 더해져 더 매력적으로 느껴진다. 하이볼이나 칵테일로 만들어도 원소주 스피릿 특유의 향이 받쳐줘 매력적인 또 다른 술이 된다. 술을 마시는 방법에는 정해진 것은 없으나 우리가 추구하고자 했던 것이 무엇인지 알 수 있을 테니 한번 시도해보길 바란다.

네이밍의 이유

일반적인 희석식 소주가 새로운 버전을 낼 때 차별화를 두는 포인트를 생각해보자. 제품의 이름이나 디자인 변경 정도일 것이다(후레쉬, 오리지널 등). 이를 증류식 소주로 확장해서 생각해보자. 증류식 소주는 병 디자인부터 뚜껑의 형태까지 제품별로 모두 제각각이고, 소주라는 이름이 붙지 않은 것들도 많다. 원소주와 유사하다는 평을 받는 일품진로의 경우 숙성이라는 단어로 차별화를 뒀고, 화요는 도수에 따라 병 색깔이 다르다.

원소주는 제품명이자 브랜드명이다(증류식 소주 면허가 있어야 전면 라벨에 소주라고 표기할 수 있다). 첫 제품은 원소주라는 브랜드를 알리고자 제품명을 브랜드명과 동일하게 했다. 두 번째 제품명을 짓기 위해 제품의 특징을 정리해봤다. 일단 2도가 올라가서 증류식 소주의 맛과 향과 타격감이 강해지는데, 가격은 오히려 더 저렴하다. 옹기 숙성 과정을 생략했지만, 에어링 공정을 통해 부드러움을 유지했다. 증류식 소주의 성격을 더 많이 가지고 있으면서 많은 사람들이 한국 전통주를 알아주길 바라는, 우리가 원소주를 만든 이유가 오롯이 담긴 술이라는 생각이 들었다.

원소주 24도, 원소주 플러스 등 여러 의견이 있었지만, 원소주 스피릿이라는 이름이 나오자마자 만장일치로 결정됐다. 원소주 브랜드의 정신이 깃든 술이자 한국의 전통주는 알리고자 했던 우리의 영혼이 담긴 술. 스피릿은 정신, 영혼이라는 뜻도 있지만, 증류주라는 뜻도 있고, 우리의 법인명인 원스피리츠에 담긴 단어이기도 하다(우리의 혼을 갈아넣어서 만든 술이라 스피릿인 것도 있다). 수많은 이름들이 후보에 올랐지만, 원소주 스피릿을 넘어설 수는 없었다.

전통 자개, 라벨에 담다

원소주 스피릿은 이름뿐 아니라 병과 뚜껑, 그리고 라벨에도 조금씩 변화를 줬다. 병은 좀 더 가볍게 해서 그립감을 좋게 만들었고, 뚜껑은 기존 제품에서 부족했던 점을 보완해 좀 더 돌려 따는 맛이 나도록 업그레이드했다(육안으로는 차이를 못 느낄 것이다). 병 색깔을 바꿔 원소주와 차이를 둘 수도 있었지만, BI만큼이나 공들인 라벨로 새로운 시도를 해보고 싶었다. 원소주의 브랜드 아이덴티티는 유지하되 한국적인 전통의 미를 담고 싶었다.

이런 생각으로 원소주는 천 소재의 라벨을 선택했다. 천이 주는 고급스러움뿐 아니라 띠부씰처럼 사용 가능해 라벨이 하나의 굿즈처럼 활용되는 재미있는 결과를 얻기도 했다. 흔히 술에서 새로운 라인을 추가할 때 주로 고려되는 것은 색이다. 금, 은 등의 별색을 활용하거나 아예 새로운 색깔로 등급을 나누기도 한다. 하지만 단순히 색만 변경하는 건 너무 원소주답지 않다고 느껴졌다.

라벨에 대한 아이디에이션ideation이 계속되던 어느 날, 일전에 모 브랜드 미팅을 할 때 김수혁 이사가 '나전칠기'에 대해 이야기했던 게 떠올랐다. 나전칠기는 나무에 옻칠을 하고 그 위에 조개껍데기로 디자인한 공예품이다. 나전은 한국과 중국, 일본이 공통으로 쓰는 한자어로 우리나라에서는 예로부터 '자개'라는 고유어로 표현했다고 한다(나도 이때 처음 알았다). 천보다 더 한국적이고 전통의 아름다움이 묻어나는 자개 아이디어가 나오자 의사결정은 빠르게 이뤄졌다.

처음에는 원소주에 쓰인 천에 자개를 표현해보고 싶었으나 불가능했다. 자개를 표현할 방법은 디자인을 인쇄한 종이에 자개 느낌이 나는 박을 하거나 자개 느낌이 나는 소재에 인쇄하는 방법이 있다고 했다. 천에서 종이로 돌아갔지만, 전복껍데기에서 모티브를 얻어 제작한 홀로그램 박을 활용해 샘플 작업을 해보기로 했다. 결과는 기대 이상이었다. 홀로그램 박은 자개 느낌을 충분히 내줬고, 반짝임 때문에 원소주가 더 눈에 띄었다. 후에 들은 이야기인데 홀로그램 박으로 제작한 라벨도 (거의)

원소주 스피릿. 천 라벨의 원소주와는 차별화되면서도 한국 전통의 멋을 보여줄 수 있는 자개를 모티브로 했다.

최초였다고 한다.

최선의 선택이 악수가 됐나

2022년 7월 12일, 원소주 스피릿이 주류를 취급할 수 있는 전국 GS25 매장에 동시 유통됐다. 처음 론칭 계획을 발표했을 때 공급하는 수량 문제로 곤욕을 치르기도 했다. 원소주 스피릿은 왜 편의점당 일주일에 3일, 1일 4병씩만 공급했을까?

GS WON 팝업까지 잘 마무리하면서 원소주 스피릿에 대한 기대치는 날을 거듭할수록 높아졌다. 우리도 그 분위기를 이어서 이번에는 더 많은 원소주가 더 많은 소비자를 만날 수 있길 바랐다. 이에 생산 설비를 확충하고, 대량 생산을 위한 관련 부자재 확보 등을 동시에 진행하면서 생산에 돌입했지만, 처음부터 원하는 물량에 맞추기는 무리였다. 욕심을 낼 수 있었지만, 무리하다가 탈이 날 것 같았다. 초도에 수량이 좀 적게 나가더라도 안정성을 택하기로 했다. 급할수록 한 박자 쉬어가라는 말도 있지 않는가.

우리와 GS25는 화, 목, 토요일을 원데이WON DAY로 지정해 매주 3회 총 12병(1회 4병)을 각 매장에 입고하기로 했다. 적은 수량으로 보일 수 있지만, 일주일에 12병, 한 달이면 점포당 약 50병이 들어간다. 전국 GS25 매장 수를 고려한다면 한 달 물량만 약 80만 병 정도다. 그럼에도 여전히 물량이 넉넉하지 않다고 여긴 소비자들이 있었을 것이고 원소주를 구입하지 못한 손님들 때문에 '편의점 점주들이 운다', '알바생들이 힘들어한다' 등의 기사들이 쏟아졌다.

엎친 데 덮친 격으로 4병을 맞추기 위해 애써왔던 위탁 제조 업체마저 결국 과부하에 걸렸다. 질책을 감수하더라도 속도 조절이 필요했다. 계속 유지하면 어디선가 더 큰 문제가 터질 것 같아 수량을 2병으로 줄였다. 출시하고 일주일 만에 번복한 것이다. 이를 두고 일각에서는 물량이 부족할 것임을 알고도 홍보를 위해 4병으로 제한을 두고, 다시 또 2병으로 바꾼 거 아니냐는 말도 많았다. 예측하지 못한 점은 백번 우리의 잘못이지만, 예상보다 수요가 너무 폭발적이어서 물량을 많이 준비했음에도 안정적인 공급을 위해서는 어쩔 수 없는 선택이었다.

우리는 작은 지역 양조장과 협력해 술을 생산한다. 엄청난 규모의 공장과 인력을 보유한 대기업과는 비교 자체가 안 된다. 숙성을 생략하긴 했지만, 쌀로 밑술을 만들고 그것을 증류해서 만드는 증류식 소주와 주정을 만들어 물과 감미료를 섞는 희석식 소주와는 생산에 걸리는 시간부터 큰 차이가 있다. 원소주를 찾는 사람들이 많아 생긴 일이었지만 우리의 노력을 노이즈 마케팅으로 여기지 않길 바라는 마음이다.

박재범 소주라고? 맞아!

원소주는 박재범 소주다. 부인하고 싶은 생각도 부인할 이유도 없다. 더 정확히 말하면 자랑스럽게 이야기하고 싶다. 어떻게 이렇게 대놓고 말할 수 있냐고 묻는다면, 우리의 답은 하나다. 제품에 자신 있기 때문이다. 아무리 박재범 소주라고 해도 제품이 별로면 원소주는 하루 이틀 만에 사라졌을 것이다. 소비자는 현명하다. 그들은 진짜 좋은 제품이라면 회사가 마케팅하지 않아도 자발적으로 바이럴을 만들어낸다.

긴 호흡을 위한 준비

팝업 스토어는 하루, 길어야 일주일 정도이기에 매출이 목적은 아니다. 신제품을 출시하고 알리기 위함이고, 진짜 게임은 그 이후부터 시작한다. 우리는 GS25 독점을 통해 정식 오프라인 유통을 준비하고 있었고, 목표 수량은 주류 시장의 한 획을 긋는, 그동안의 기록을 엎는 도전이었다. 2022년의 남은 6개월과 2023년, 그 후까지 긴 호흡이 필요했다.

월 100만 병을 목표로 하면서 중점을 둔 부분은 콘텐츠다. 유튜브, 인스타그램 등 SNS 채널은 이미 TV 방송을 넘어섰다. 공영방송에서 유튜버를 섭외하고, 브랜드들은 연예인 대신 인플루언서를 모델로 기용해 홍보한다. TV나 지면 광고가 더 이상 힘을 발휘하지 못하는 시대이기 때문에 선택한 것이 팝업이었다. 사람들에게 콘텐츠를 제공하고, 끊임없이 재가공할 수 있도록 그 장을 마련해준 것이다. 우리가 직접 콘텐츠를 만들고 퍼트리는 것은 한계가 있다.

원소주 스피릿도 인스타그램을 통해 처음 공개했다. 2022년 7월 3일, 원소주와 달리 어떤 예고도 없이 출시일을 공지했다. 원소주의 경우 관심도를 점점 고조시키는 귀납식 방법을 선택했다면, 원소주 스피릿은 정반대 방법을 택했다. 일단 제품을 보여주고, 제품에 담긴 요소 하나씩 풀어갔다. 모든 이야기를 다 풀고 난 다음, 보도자료를 배포했고 본격적으로 마케팅에 돌입했다.

짧은 호흡으로 빠르게 알리고 사람을 모으는 방법보다 끊임없이 콘텐츠가 회자될 수 있도록 론칭일까지 GS25 디지털 마케팅팀과 커뮤니케이션팀과 공동 작업으로 콘텐츠를 업로드하기로 했다. 우리는 원소주나 박재범에 관심을 두지 않는 일반 소비자도 원소주를 궁금해하도록

원소주 스피릿 출시 포스터. GS25에 독점 판매된 원소주 스피릿은 기습하듯 예고 없이 출시일을 공개했다.

많은 사람들이 이용하는 SNS 채널에 재가공된 콘텐츠가 끊임없이 올라오도록 해야 했다. 원소주는 '박재범 소주'에 대한 관심이었다면, 원소주 스피릿은 술 자체에 궁금증을 더 가지길 바랐다.

7월 12일 론칭 당일, 원소주 스피릿은 새벽런, 출근런, 소주런 등의 신조어를 만들어내며 품절 대란을 일으켰다. 소비자가 빈손으로 발걸음을 돌리는 일을 최소화하기 위해 GS25 나만의냉장고(현재는 '우리동네GS'로 이름이 바뀌었다) 앱을 통해 재고 현황도 공유했다. 우리의 다음 스텝은 원소주 스피릿이 올라탄 기류가 꺾이지 않게 흐름을 이어나가는 것이었다.

안녕하세요, 알바생 박재범입니다

원소주나 박재범에 관심 없는 사람도 박재범 대표가 GS25 알바생으로 일하는 콘텐츠를 봤을 것이다. SNS가 아니더라도 인터넷 기사로 접했을 것이다. 이 콘텐츠는 박재범 대표가 나선 원소주 콘텐츠 중에 가장 많은 인기를 얻었던 콘텐츠이기도 하다. GS25와 박재범 대표를 포함한 모어비전이 함께 모여 콘텐츠 회의를 하던 자리였다.

"GS25에서 알바하는 콘텐츠를 만들면 좋을 것 같아요.
사람들이 절 알아보기 쉽거나 많이 몰리는
곳이 아닌 도로에 덩그러니 있는 GS25 매장이어서
사람들이 잘 오지 않고,
절 모르는 연령대들이 주로 사는 곳 근처면
재미난 콘텐츠가 나오지 않을까요."

그가 선뜻 나서겠다는데 반대할 사람은 없었다. GS25는 '이리오너라'라는 유튜브 채널을 운영 중인데, 당시 구독자가 거의 100만 명에 가까운 인기 채널이었다(2022년

10월 기준 104만 명인데, 100만 구독자 달성에 원소주가 큰 역할을 했다는 후문이). '편의점 알바생 박재범의 하루'라는 이름으로 예고편-본편-Q&A 총 3편의 영상 콘텐츠가 업로드됐고, 이 영상은 누적 조회 수 170만 회를 기록했다(2022년 10월 기준 3편 총합).

박재범 대표는 자신이 낸 아이디어대로 경기도 파주의 한 편의점에서 매장 청소부터 손님 응대, 물건 정리까지 도맡아 했는데, 첫 손님부터 그를 외면했다. "형이 사줄게"라고 했는데도 꼬마 손님은 그를 매몰차게 거절했다. 그의 계속되는 "내가 사줄게요" 덕분에(?) 그는 일을 끝내고 받은 급여 18,320원보다 10배 많은 18만 원이나 썼다. 이 편의점 콘텐츠는 201만 명의 구독자를 보유하고 있는 'dingo freestyle' 유튜브 채널과도 연계해 해당 편의점에서 박재범의 라이브 뮤직비디오를 찍었는데, 그 영상은 32만 회 조회됐다.

알바생 박재범은 GS25와 계속 함께하고 있다. 원소주를 GS25에서 구매할 때 포스기에서 나오는 소리를 들어본 적 있는가? 계산대에서 원소주 바코드를 찍으면 "안녕, 원소주", "WON", "작작 마셔요" 등 박재범 알바생의 목소리가 나온다. 이후에도 술 콘텐츠에 있어서 1등이라고 할 수 있는 조승원 기자가 진행하는 '14F

알바생 박재범. GS25 알바생이 된 박재범 콘텐츠는 여전히 SNS에서 재생산되고 있다.

일사에프'의 '주락이월드'를 비롯해 허니제이가 진행하는 '메이크썸비어', 김희철의 '술트리트파이터' 등 그는 술 관련 유튜브 채널이라면 어디든 달려갔다. 이때 만든 영상 콘텐츠는 짧게 편집된 영상들이 유튜브뿐 아니라 인스타그램 등에서 지금까지도 계속 만들어지고 있다.

박재범 대표의 행보는 오프라인에서도 계속됐다. 코로나19가 잠잠해지고 사회적 거리두기가 풀리면서 여러 페스티벌이 열렸다. 파티에 빠질 수 없는 두 가지가 음악과 술이다. '우리가 빠지면 파티가 아니지'라는 박재범의 노래처럼 페스티벌에서 박재범은 헤드라이너다. 그는 무대에서 원소주를 마시는 퍼포먼스를 했는데, 그의 무대

원소주+박재범+몸매의 합작품. 이보다 잘 어울리는 조합이 있을까.

중 가장 인기가 좋은, 공연의 클라이맥스를 알리는, 모든 이목이 쏠리는 '몸매' 노래를 부를 때 주로 했다. 이 모습은 페스티벌에 온 수많은 사람들의 카메라에 담겨 SNS에 널리널리 퍼져갔다.

오늘 밤 주인공은 나야 나

박재범 대표는 페스티벌 무대의 한 퍼포먼스로 만족하지 않았다. 페스티벌 경험이 많은 그는 GS25를 만났던 2022년 초부터 원소주 페스티벌을 꿈꾸고 있었다. 그는 원소주를 하나의 문화로 만들고 싶었고, GS25 뮤비페는 원소주 컬처화의 시작점이라고 할 수 있다. GS25는 다년간 뮤비페를 열면서 페스티벌 운영 경험이 있었고, 코로나19로 한동안 열지 못하거나 축소 진행했던 이 행사를 성대하게 치를 준비를 하고 있었다.

GS25 뮤비페는 이름 그대로 맥주가 주종이다. 2022년에 처음으로 소주 브랜드와 함께했는데, 바로 원소주다. 독점 판매로 받은 선물 같은 기회였다. 부산과 일산에서 총 두 번 열리는 뮤비페를 훗날 열게 될 원소주 페스티벌의 예고편이라 생각하고 준비했다. 첫 페스티벌 입성이라 제대로 준비하고 싶어 부산 뮤비페는 페스티벌이 어떻게 진행되는지 사전 조사 겸 가오픈 정도로 운영했다.

GS25 뮤비페 때 설치한 원소주 조형물과 포토존. GS25 뮤비페에서 가장 많은 관심을 받은 원소주 부스는 원소주답게 사진 명당으로 수많은 사람들이 인증샷을 남겼다.

2022년 8월 6일, 한여름이었다. 일산 뮤비페는 박재범 대표가 메인 스테이지이자 마지막 아티스트로 무대에 오를 예정이라 더 든든한 느낌이었다. 많은 부스들 사이에서 원소주를 가장 눈에 띄게 만드는 게 우리는 목표였다. 압도적인 스케일과 비주얼을 자랑하는 원소주 조형물은 이번 페스티벌의 사진 명당이 되기에 충분했다. 이뿐만 아니라 별도로 만든 포토존에 많은 사람들이 줄 서는 진풍경이 벌어졌고, SNS에는 인증샷이 며칠 동안 계속 올라왔다. "원소주 페스티벌인 줄 알았다"는 댓글도 있었다.

시각을 끌었으면 이제는 미각이다. 가장 먼저 준비한 것은 원소주 칵테일이다. 기존 원밀리언, 원토디가 아닌 GS25 뮤비페만을 위한 원소주 칵테일 레시피를 개발했는데, 이름하여 '원소주×좀비' 칵테일. 뮤비페 준비 초반 GS25는 자신들과 정찬성 선수가 협업한 에너지 음료가 있으니 이것을 활용해 원소주 칵테일을 만들면 좋겠다고 제안했다. 아무래도 박재범 대표와 정찬성 선수의 친분은 많은 사람들이 알고 있기에 시너지 효과가 있을 거라 생각한 듯하다.

에너지 음료는 지치면 안 되는 페스티벌의 필수품이라고 할 수 있다. 특히 더운 여름날 무더위를 버티게 해줄 힘이 된다. 우리는 원소주 칵테일 레시피를 만들어준 CNC 측에 도움을 요청했고, 'Zombie always WON'이라는 멋진 슬로건 아래 잽, 펀치, 트위스터 등의 격투기 용어를 붙인 칵테일 레시피가 탄생했다. 잽은 단어처럼 원소주와 좀비 에너지 음료를 가볍고 청량하게 즐길 수 있는 칵테일이고, 펀치는 원소주의 함량을 높여 조금은 묵직하게 즐길 수 있는, 한방에 기분을 끌어올릴 수 있는 칵테일이다. 그리고 좀비 트위스터는 원소주에 히비스커스 티를 우려 빨간색을 내고, 페리에에 블루 색상의 모닌 시럽을 추가해 태극 문양으로 만들어 정찬성 선수의 상징과도 같은 칵테일이 됐다.

원소주×좀비 칵테일은 부산에서 약 1,500잔,

원소주×좀비 칵테일 중 좀비 트위스터. 빨간색과 파란색을 조합해 태극 문양을 표현했다.

일산에서는 3,300잔이 넘는 판매고를 올렸다. 참고로 일산에서 판매된 다른 브랜드의 술을 모두 합친 게 원소주와 비슷한 정도였다고 하니 그 인기를 짐작할 수 있을 것이다. 페스티벌 시작을 알린 오후 1시부터 매진되어 판매 종료를 외쳤던 저녁 9시까지 원소주 부스의 줄은 단 한 번도 줄어든 적 없었다.

페스티벌에서 칵테일은 새롭지 않다고 여길 수도 있다. 원소주가 아니어도 여러 브랜드에서 칵테일 판매는 많이 하기 때문이다. 언제나 새로운 걸 시도하고 도전하는 걸 좋아하는 우리는 어떻게 하면 사람들이 좀 더 재미있고 새롭게 술을 경험할 수 있을까 고민했다. 페스티벌을 다녀본 나의 경험상 신나게 놀다 보면 플라스틱 컵에 담긴 술을 흘리기 일쑤였다. 한 모금 마셨는데 술이 없어진 적도 있었다(미친 듯이 뛰었던 것 같다). 그래서 흘릴 걱정 없는 술이 있다면 좋겠다는 생각이 들었다. 그렇게 탄생한 것이 원팩이다.

원래는 원팩을 제품화해서 제공하려고 했는데 도저히 페스티벌 당일까지 허가 일정을 맞출 수가 없었다. 포기해야 하나 싶었지만, 컵에 술을 따라주듯 파우치에 따라줄 수 있다면 문제가 될 게 없어 보였다. 쉽게 말해 파우치가 잔이 되는 것이다. 우리는 페스티벌 입구에서 사람들에게 파우치를 나눠 주고 원소주 부스에서 미개봉된 파우치에 한해 원소주를 채워줬다. 박재범이 무대에 올랐을 때 모두 원팩을 들고 건배하는 장면은 아직도 잊을 수 없다. 워낙 작고 앙증맞은 파우치였기에 마시지 않고 굿즈처럼 소장한 사람들도 많았다. 기회가 된다면 '원소주 설레임'을 만들어보고 싶다. (슬러시 기계까지 찾아봤지만, 단시간에 많은 양의 소주를 슬러시화하는 것이 쉽지 않아 포기했었다).

또 하나의 히든카드는 삼립과 협업해 만든 약과다. 맛있는 술과 안주의 조합은 영혼을 살찌운다. 바꾸어 말하면 원소주와 어울리는 안주를 지속적으로 만들어낸다면 음식과 원소주의 궁합을 맛보기 위해 원소주를 즐기는 사람들은 늘어날 것이라 생각했다. 쌀을 원재료로 한 전통주니 이와 어울리는 전통 과자가 떠올랐다. 옛날 과자라고 해야 할까? 전병, 오란다, 소라깡 등 트럭에 한가득 담아두고 팔았던 그 과자 말이다. 우리는 그중 가장 고급 과자였던 약과를 선택했다.

KBS 예능 프로그램 〈편스토랑〉 '안주' 편에 대한민국 주류계의 가장 핫한 아이콘인 박재범 대표가 스페셜 심사위원으로 출현한 적이 있다. 그는 이때 원소주와 잘 어울리는 안주를 만든다면 좋겠다고 생각했다고 한다. 우리는 전통을 가진 고급 핑거 푸드들과 원소주의 조합을

원팩과 원약과. 새로운 시도였는데, 반응이 좋았다. 언젠가 '원소주 설레임'이 나오지 않을까.

꿈꿨고, GS25 뮤비페에서 확신이 생겼다. 구상 단계지만, 원소주만큼 힙한 음식으로 또 한 번 오픈런을 만들어보겠다.

주류 판매의 기준을 다시 쓰다

2022년 7월 12일, 원소주 스피릿이 GS25에서 처음 출시됐다. 그리고 기적 같은 일이 일어났다. 판매를 시작한 지 일주일 만에 부동의 주류 매출 1~2위였던 카스와 참이슬을 제치고 전체 주류 상품 매출 1위에 올랐다. 편의점 역사상 이 두 주류의 매출을 제친 건 원소주가 처음이라고 했다. 판매 시작 일주일 만에 초도 물량 20만 병이 모두 완판됐고, 전통주 판매 1위인 화요의 연간 판매량을 일주일 만에 달성했다.

GS25 전 지점에서 원소주 매진 행렬이 이어졌고, '소주런'이라는 말도 생겨났다. 소주를 사기 위해 오픈런을 하게 될지 누가 생각이나 했겠는가. 항간에는 새로운 주류 트렌드를 일시적으로 본 사람들도 많다. 하지만 원소주 스피릿은 출시된 지 3개월이 지나도록 주류 매출 순위 1위를 기록했다. 2022년 12월 기준 누적 판매량은 300만 병이다. 이렇다 보니 편의점 업계는 주류 판매에 열을 올리고 있다. GS25의 버터맥주를 비롯해 세븐일레븐의 캬, 심지어 CU는 직접 전통주 브랜드를 만들어 판매한다.

납품 수량도 적었고, 사람들이 많이 찾는 희석식 소주에 비해 가격대도 높은 편이라 우리도 예상하지 못한 결과다. '매출 1위', '전량 완판', '매진 행렬' 등 원소주에 붙은 수식어들은 다 좋았지만, 이보다 우리를 기쁘게 한 건 새로운 주류 트렌드를 만들고 주도했다는 점이다. 우리는 단 한 번도 전통주 업계의 술들을 포함해 모든 주류 업계를 경쟁자로 생각한 적이 없다. 원소주는 수출을 목표로 만든 술이고, 우리의 경쟁 업체는 원소주가 전 세계로 뻗어나갔을 때 만나게 될 세계 각지의 주류 브랜드들이라고 생각한다. 원소주가 세계적으로 유명해진다면 우리 전통주를 소개할 기회가 되지 않을까 하는 마음이었다. K-팝, K-콘텐츠, K-푸드에 이어 K-주류까지 세계를 사로잡는다는 상상을 해보자. 이 얼마나 뿌듯한 일인가.

원소주 자사몰, 새 옷을 입다

두 번의 사고 후 자사몰을 닫은 지 5개월이 지났다. 시간이 흐를수록 조바심이 나기 시작했다. 너무 오래 닫아둔 건 아닌가? 다시 예전 분위기를 회복할 수 있을까? 하는 생각에서 벗어날 수 없었다. 다행히 원소주 스피릿이 반응이 좋아 덩달아 원소주를 찾는 사람들이 많아졌지만, 두려움은 쉽사리 사라지지 않았다. 무엇보다 단순히 재오픈의 개념은 안 된다고 생각했기 때문이다. 오랫동안 기다린 만큼 그에 상응하는 새로운 무언가가 필요했다.

세 번의 실패는 없다

원소주 자사몰 리뉴얼에서 가장 중점을 둔 부분은 사고를 원천 차단하는 것이었다. 시스템 오류로 두 번씩이나 문제를 겪다 보니 안정성에 최우선을 둬야만 했다. 온라인 판매 파트너사인 랩헌드레드의 개발진이 함께했고, 문제가 됐던 선착순 판매의 완벽한 자동화 시스템을 구축했다. 그 사이 제품 라인업도 늘었다. 원소주 스피릿은 GS25 독점 판매로 재오픈 때는 제외됐지만, 첫 제품인 원소주 판매를 재개했고, 새롭게 출시된 세 번째 제품인 원소주 클래식을 추가했다.

두 번째로 신경 쓴 부분은 디자인이다. 첫 자사몰은 유일한 유통 채널이라 판매를 목적으로 만들었고 보이는 것에 크게 의미를 두지 않았는데, 원소주답지 않아 오픈하고 나서 내내 후회했다. 이번에는 원소주가 가진 톤 앤드 매너에 맞게 디자인을 새롭게 했고, 판매가 아닌 원소주의 브랜드 아이덴티티를 보여줄 목적으로 홈페이지를 구축했다.

원소주 홈페이지에 들어오면 세계 곳곳을 누비는 원소주의 모습을 볼 수 있다. 이 영상에는 원소주를 만든 목적, 원소주의 미래, 그리고 우리의 바람을 담았다. 홈페이지는 총 5개의 카테고리로 구분된다. 'WE'RE THE WON'을 클릭하면 원소주에 담긴 메시지와 원스피리츠의 비전을 볼 수 있고, 'WONSOJU'는 제품 구매 카테고리로 증류식 소주에 대한 설명과 원소주를 만드는 방법, 원소주와 원소주 클래식의 차이를 보여주는 증류 방식, 옹기 숙성 등 제품 관련 내용들이 나온다.

세 번째는 다양성을 추구했다. 원소주를 더 재미있게 즐길 수 있도록 관련 굿즈와 기프트 세트를 더했다. 'ACC'와 'SET' 카테고리에는 그동안 보지 못한(팝업 스토어에서 만나본) 원소주 관련 굿즈들을 볼 수 있다. 앞으로 제품뿐

여러 번의 고비 끝에 완성된 원소주 홈페이지는 제품 구매뿐 아니라 원스피리츠의 비전과 원소주에 담긴 메시지 등 우리가 하고자 했던 이야기로 가득 채웠다.

아니라 굿즈 라인업이 계속 추가될 예정이니 기대해도 좋다.

구매하지 못한 자 여기로 오라: 원 드로우

계속 말했지만, 한정 수량은 어쩔 수 없는 선택이었다. 공장 증설과 제품 라인업 추가 등을 통해 공급 물량을 늘리고 있음에도 원소주를 구매하지 못했다는 사람들의 원성은 계속됐다. 오픈런이나 광클(빠르게 마우스를 클릭하는 것)은 젊은 세대에게 유리했기 때문이다. 우리는 다양한 세대가 원소주를 즐길 수 있는 방법을 찾아야 했다. 편의점 소주런을 하지 않아도 되고, 티켓팅하듯 광클할 필요가 없는 그런 방법 말이다.

고민 끝에 선택한 것은 '드로우 판매'다. 신발 브랜드에서 주로 사용하는 방식으로 추첨제를 뜻한다. 추첨은 운이니 공평성에 어긋나지 않고, 재미까지 더해지니 원소주다운 방법이라 생각했다. 이 방식을 도입한 목적에 맞게 원소주 구매 이력이 한 번도 없는 사람들을 대상으로 하기로 했다. 진행 날짜와 수량에 관해서는 정말 많은 논의가 이뤄졌지만, 물량 이슈가 있다 보니 한 달에 한 번 원소주 22도를 기준으로 3천 병을 판매하기로 했다.

매월 마지막 주 일요일 오전 11시부터 오후 3시까지 자사몰에서 원소주를 구매한 이력이 한 번도 없는 소비자를

원 드로우는 현재 진행되고 있지 않지만, 신제품이나 한정판 굿즈 같은 새로운 이슈가 생길 때마다 드로우 방식을 활용할 계획이다.

대상으로 원소주 드로우 데이가 열린다. 당첨자는 당일 오후 5시에 발표하고, 배송비 무료 혜택을 위해 4병 묶음 판매로만 진행한다. 많은 사람들에게 행운의 선물 같은 시간이 되길 바란다.

소장각, 굿즈 전성시대

현재 원소주 자사몰에서는 원소주와 원소주 클래식이

상시 판매 중이다. 원소주는 월 6만 병, 원소주 클래식은 월 2만 병 한정 판매로 물량이 소진되고 나면 다음 달 1일에 재충전되는 방식이다. 여기에 원소주 스피릿까지 추가된다면 제품 라인업은 갖춰진다. 문제는 원소주 구매 외에 사람들이 자사몰을 방문할 유인 요소가 없다는 것이다. 매월 마지막 주 일요일에 구매 이력이 없는 분에 한해 원소주 드로우를 진행하기로 했지만, 이것으로는 부족했다.

몇 차례 팝업 스토어를 진행하면서 사람들의 반응이 가장 좋았던 것은 인증샷이 넘쳐나는 공간과 한정판 굿즈였다. 지금은 '제품보다 사은품'이라는 말이 나올 정도로 그야말로 굿즈 전성시대다. 포켓몬 빵의 인기 요인이 띠부씰이었다는 건 누구나 다 아는 사실이다. 우리도 소장 욕구를 불러일으킬 굿즈가 필요했다.

팝업 스토어에서 소비자 반응이 좋았던 굿즈는 수집욕을 충족시켜주는 것들이었다. 원소주는 술 브랜드이므로 그중에서 술과 관련 없는 것은 최대한 지양하기로 했다. 제품보다 사은품이라고 하지만 원소주의 브랜드 아이덴티티를 해치고 싶지는 않았다. 술과 가장 밀접한 것은 무엇이 있을까? 잔이다. 병나발을 불지 않은 이상(우리가 지향하는 술 문화가 아니다) 술을 마시려면 잔은 꼭 필요하다. 그래서 샷 잔과 스코틀랜드인들이 즐겨 마시던 주법에서 유래된 온더록스 잔 두 가지 버전을 준비했다. 여기에 나이스웨더 팝업에서 인기가 좋았던 전통 유기 잔도 라인업에 포함했다(전통주에 전통잔이 빠질 수 없지).

잔 외에도 원소주 칵테일이 활성화되길 바라는 마음으로 원소주 칵테일 키트를 준비했는데, 새콤한 모닌 시럽과 페리에, 그리고 칵테일을 제조할 수 있는 지거와 스푼이 포함되어 있다. 팝업 스토어를 할 때마다 해당 팝업에서만 판매하는 한정판 굿즈들을 많이 제작했었는데, 이를 바탕으로 새로운 굿즈 라인업을 만들어갈 예정이다. 또한 월드컵, 크리스마스 등 특별한 날을 위한 한정판 패키지도 계속될 것이다.

앞으로 원스피리츠가 그려 나갈 자사몰은 원소주 굿즈만 있지는 않을 것이다. 우리는 전통주가 국내외적으로 더 알려지길 바라고, 유통사의 입김에 좌지우지될 수밖에 없는 현재의 유통 판에 변화를 주고자 한다. 원소주 자사몰이 자리를 잡게 되면 다른 전통주들을 함께 판매하며 그들의 홍보 및 판매 창구가 되고 싶다. 작은 양조장들에 조금이나마 도움이 되고 싶다.

4

WON 없이 놀자

잇츠 원타임

소비자가 브랜드를 가지고 논다는 것은 그만큼 브랜드가 사랑받고 있다는 방증이기도 하다. 그런 브랜드는 반짝 이슈를 넘어 롱런하는 브랜드가 된다. 누군가는 원소주의 인기가 곧 사라질 거품이라고 했다. 우리는 그것이 아님을 증명하기 위해, 소비자에게 오랫동안 사랑받는 브랜드가 되기 위해 새로운 시도와 도전을 끊임없이 하는 중이다.

"하지 않을 뿐 못할 일은 없다."

삶을 대하는 나의 태도다. 원소주를 시작하면서 그렇게 살기 위해 더 노력했다. 더 많은 사람들이 원소주라는 브랜드에 흥미를 느끼고, 원소주가 소비자와 밀접한 곳에서 자주 보이며, 사람들이 좋아하는 것들과 연계되어 마치 자신의 브랜드인 것 같은 친근함을 느낄 수 있도록 만들었다. 소주 브랜드는 그래야 한다고 생각했다.

브랜드가 사람들에게 다가가는 것은 친구를 사귀는 과정과 유사하다. 공통된 관심사나 취미생활을 공유하면 친구 관계가 더 오래 유지되고 돈독해지는 것처럼 브랜드도 소비자와의 돈독한 관계를 위해서는 공통된 관심사를 부담되지 않고 위트있게 끊임없이 만들어내야 한다. 연락이 줄어들어 소원해지는 그런 친구 관계가 아닌 지속적으로 안부를 묻고 항상 소비자 곁에 있는 브랜드라는 것을 인식시키고 신뢰를 쌓아야 한다. 원스피리츠는 소비자가 원소주라는 브랜드와 가까워지도록 하기 위해 어떤 계획을 세웠고, 어떠한 노력을 했을까?

원하면 다 이뤄질까

인생은 제목 따라간다는 말처럼 나는 원소주를 만나면서 원하면 다 이뤄지는 삶을 살고 있다. 꼭 한번 협업하고 싶었던 브랜드는 물론, 생각조차 하지 못했던 브랜드와 대기업의 협업 요청이 지금도 끊이질 않고 있다. 대한민국의 어지간한 장소에서는 팝업 스토어를 해보고 싶다는 연락을 다 받은 것 같고, 주류 도매상뿐 아니라 주류를 판매할 수 있는 소매상들도 원소주를 직접 찾는다. 심지어 동네 노래방에서 손님이 원소주를 찾는다고 살 수 없겠냐는 연락도 받았다.

그렇다면 원소주랑 협업을 원했던 브랜드에는 어떤 곳들이 있었을까? (여기서 언급된 브랜드들은 아직 협업이 유효한 곳들도 있어 구체적으로 다루지 못한 점은 양해 바란다.) 우리는 협업을 생각하기 힘든 곳과 업역을 넘나드는 협업을 하고 싶었다. 그리고 그 대상이 원과 W를 활용하여 세계관을 합칠 수 있는 브랜드였으면 했다. 무엇보다 타깃이 명확하고, 활발한 커뮤니티를 보유한 충성도 있는 브랜드라면 금상첨화라고 생각했다. 그 과정에서 눈에 들어왔던 분야가 게임과 금융이다. 두 업계의 광고를 본 적 있는가? 이들은 광고에 엄청난 예산을 투자한다. 이들과 협업한다면 원소주에 아낌없이 투자하지 않을까 하는 바람도 있었다.

원소주가 원하면 진짜 다 이뤄지기라도 하는 것처럼 최근 가장 핫한 FPS First Person Shooter 게임(일인칭 슈팅 게임)을 비롯해 오랜 역사와 인기를 자랑하는 게임으로 2022년에 모바일로 나와 더 큰 인기를 끈 게임 등 소위 가장 잘나간다는 게임 업체들에서 협업 제안이 들어왔다. 금융업에서도 제안이 왔는데, 여러 협업 사례를 가지고 있는 카드사뿐 아니라 보수적인 이미지를 가지고 있는 은행권에서도 원소주와 함께하고 싶다는 연락을 받았다.

이외에도 굴지의 대기업과 통신사, 국내외 자동차 회사, 명품 브랜드까지 우리가 이 정도인가 싶을 정도로 많은 곳에서 협업 제안이 왔다. 그중에서 자동차는 가장 의외였다. 술과 차는 '음주운전'이라는 부정적인 접점이 있어 협업하기에 쉽지 않은 조합이라고 생각했다. 하지만 그렇기에 더 끌렸던 것도 있다. 역으로 음주운전 근절 캠페인을 만들면 지금까지와는 다른 위트있는 결과물이 나올 것 같았기 때문이다. 앞으로 어떤 브랜드와 어떤 결과물을 만들어낼지 계속 지켜봐주길 바란다.

원팀 프로젝트에 돛을 달다

원소주 기획 초기부터 우리는 '원WON'을 가지고 말장난을 많이 했다(주로 나 혼자 하긴 했지만). 회의 분위기가 무거워지면 분위기를 환기하려 한 말장난이었는데, 하다 보니 이제는 세상 모든 원과 W만 눈에 들어오는 지경에 이르렀다. 아이디어 회의는 무조건 베이스가 없는 상태에서 시작하는 게 좋다고 생각하는 나는 툭툭 내뱉는 말장난 속에 기발한 아이디어가 숨어 있다고 믿는다. 그래서 갖은 구박에도 꿋꿋이 말장난을 했다.

청정원, 풀무원, WON뱅킹, 리니지W, 원스토어,
CJ ONE, W매거진, 원지의하루, 대학원, 원불교,
공무원, 울프강 스테이크하우스, 하나은행 …

생각보다 원이 들어가는 단어나 W를 활용한 브랜드가

많다. 그들과 세계관을 합쳐 공동 마케팅을 펼치면 재미있을 것 같았다. 상상해보라. 원소주와 원불교의 세계관이 합쳐진다면 어떤 모습일지 생각만 해도 기대되지 않는가. 우리는 유치해 보일 수 있는 것들도 브랜드를 빌드업할 수 있는 아이디어로 여겼다. 누구도 핀잔을 주거나 무시하지 않는다. 고정관념도 없고, 틀도 없다. 우리는 그저 우리가 하고 싶은 일을 하려고 한다.

브랜드 협업에 대한 방향성은 원소주를 만들면서부터 밑작업을 해왔다. 주변 관계자들에게 슬쩍 뜻을 내비치기도 했고, 인터뷰 같은 외부 채널에 이야기할 기회가 있을 때마다 가지고 있는 생각들을 전했다. 거짓말 같겠지만 이 방법은 통했다. 언급했던 거의 모든 브랜드에서 연락이 왔다(원불교는 아직이다). 차곡차곡 쌓은 결과물이다.

연락 시점 타이밍이 맞지 않거나 원소주와 어울리는 브랜드가 무엇인지를 고민하는 과정에서 함께하지 못한 곳들이 더 많지만, 원소주는 반짝하고 사라지는 것이 아니라 계속해서 새로운 문화를 만들어갈 것이므로 언제든지 기회가 된다면 꼭 함께할 수 있으리라 생각한다. 원소주의 협업 기본 전제는 '어떻게 소주 브랜드가 이런 시도를 하지?'다. 우리는 언제나 새로운 것을 원하고 그것에 도전할 준비가 되어 있다.

원소주 클래식
: ×4, 도수는 높을수록 맛있다

전통주를 알렸다면, 이제는 전통주가 가진 매력을 사람들에게 알려야 한다고 생각했다. 희석식 소주는 주정에 단맛을 내는 감미료와 신맛을 내는 산미료 등을 어떻게 배합하는지에 따라 맛이 달라진다. 술을 만드는 방식이 아니라 배합에 따라 결정되는 것이다. 이와 달리 증류식 소주인 전통주는 어떤 원재료를 사용하고, 어떤 방식으로 숙성하고, 어떤 증류 방식을 택했는지 등에 따라 술의 맛과 향 등이 차이가 난다. 우리는 원소주와 원소주 스피릿에 이어 전통주의 매력을 한껏 느낄 수 있는 다음 스텝에 돌입하기로 했다.

증류주의 매력은 도수다

원소주 스피릿을 만들 때 2도를 올리자고 했다가 대이도(남쪽 섬) 같은 곳으로 유배당할 뻔했던 이야기를 기억할 것이다. 뭐든지 한 번이 어렵지 두 번은 어렵지 않다. 세 번째 제품은 (원소주 22도에서) 무려 6도를 올리기로 했다. 원소주와 원소주 스피릿은 깔끔한 맛을 내기 위해 감압증류 방식을 택했지만, 위스키, 진, 럼 등 대부분의 오래된 술들이 만들어지는 방식은 상압증류다(전통주도 그렇다). 술의 독한 맛이나 탄내 등이 나지 않는 감압증류에 비해 상압증류는 더 풍부하고 깊은 맛과 향을 느낄 수 있다. 개인적으로 어떤 방식이 낫다고 표현하고 싶지는 않다. 두 방식 모두 전통주를 만드는 방식이고 원소주는 증류 방식에 따른 우리 술의 맛과 향의 차이를 소비자들에게 알리고 싶었다.

감압증류는 낮은 온도에서 증류하는 방식이라 도수가 높고 낮음에 따라 술이 가진 특성이 드라마틱하게 변화하지는 않지만, 상압증류는 고온에서 증류해 다양한 고비점 물질들이 술에 포함되어 도수가 높을수록 더욱 다양한 풍미를 느낄 수 있다. 원소주나 원소주 스피릿과 유사한 도수로 가자는 의견이 많았으나 상압증류로 저도수를 만드는 건 너무 아까운 일이다. 알코올의 함량이 높을수록 술이 독하다는 것은 고정관념이다. 만약 그렇다면 40~50도가 넘는 위스키나 고량주 같은 것을 어떻게 마실 수 있겠는가. 이런 설득 끝에 우리는 다양한 도수의 시음을 계속해나갔다.

증류식 소주의 마지노선 도수라고 생각한 22도에서 28도까지 고민했지만, 도수가 올라가니 술맛이 더 좋다는 것을 부인할 수 없었다. 모두가 저도수를 선택할 때 22도에서 24도로 가는 길은 힘들었지만, 24도가 성공하면서 28도로 가는 길은 어렵지 않았다. 도수 높은 술은 마실 때는 무조건 향을 먼저 맡아야 한다. 원재료인 쌀이 주는 향을 느끼고 난 다음 술을 한 입 머금으면 원소주 특유의 깔끔함과 깊은 맛을 느낄 수 있다. 28도라고 전혀 느껴지지 않는 부드러운 목 넘김을 경험할 것이다. 미지근하게 마시면 풍부한 아로마가 극대화되고, 차갑게 마시면 깔끔한 감칠맛이 나는 28도의 원소주 클래식은 그렇게 탄생했다.

원소주 22도는 증류식 소주와 희석식 소주의 차이를 알렸고, 원소주 스피릿 24도는 숙성에 따른 맛의 차이를 보여줬다. 원소주 클래식 28도는 증류 방식의 차이에서 느낄 수 있는 향의 매력에 빠질 것이다.

최초 또 최초: 효모를 활용한 상압증류

원소주 클래식은 상압증류 방식으로 2020년 대한민국 우리 술 품평회에서 대통령상을 받은 모월에서 위탁 제조하기로 했다. 원소주의 힙함과 모월의 전통성이 더해져 풍부한 아로마와 깔끔한 감칠맛을 선사하는 전통주의 진수를 보여줄 수 있는 술의 탄생에 기대감이 높았다. 이는 소비자들이 우리 술에 더 큰 관심을 가지게 되는 초석이 될 것이라고 생각했다. 개인적인 욕심으로는 도수에 대한 고정관념을 깨고 싶었다. 높은 도수의 술이라고 하면 지레 독한 술로 인식하는 사람들에게 고도수도 부드럽다는 것을 느끼게 해주고 싶었다.

상압증류는 압력을 낮춰 낮은 끓는점에서 증류하는 감압증류와 달리 상온 상태의 기압에서 증류한다. 감압증류에 비해 고온에서 증류하기 때문에 고비점 물질들이 술에 포함되는데, 이 물질들이 술맛을 강하게 한다. 덕분에 상압증류 방식으로 만든 술들은 다양한 아로마를 느낄 수 있어 감압증류에 비해 풍부하고 깊은 맛이 난다. 깔끔한 맛을 좋아하면 감압증류를 선호할 것이고, 다채로운 맛을 원한다면 상압증류 방식으로 만든 술을 선호할 것이다.

상압증류 방식으로 생산 결정이 나고 9개월이 넘는 준비 기간이 걸렸다. 그 기간에서 가장 심혈을 기울인 부분은 국산 효모의 활용이다. 원소주의 모든 제품은 강원도 지역 쌀인 토토미를 100% 사용한다. 그리고 누룩과 누룩에서 채취한 효모를 활용하는데, 원소주는 한국식품연구원에서 개발한 8종의 새로운 효모 균주 중 1종을 사용한다. 여기서 살짝 덧붙이면 우리나라에는 국산 효모가 1종 밖에 없었다. 다양한 효모를 보유하고 있는 일본에 비하면 너무 단출하다.

효모는 술맛을 결정하는 데 큰 역할을 하는데, 일본에 다채로운 술이 많은 이유가 이 때문이다.

2021년 전통주 발효제 보급 활성화 지원 사업의 일환으로 한국식품연구원은 국산 누룩에서 채취한 국산 효모 8종을 개발했다. 이때 개발한 국산 효모를 활용해서 제품이 나온 것은 원소주 클래식이 최초다. 이 과정은 쉽지 않았다. 맛이 검증되지 않은 효모였기에 8종 효모를 전부 활용해서 샘플을 만들었고, 우리가 원하는 맛을 찾기 위해 아닌 것을 제외하는 작업을 반복했다. 그중 살아남은 4종 효모로 만든 4개 제품을 각각 대용량 발효통에서 다시 제조하는 작업에 들어갔다(소량 생산과 대량 생산의 차이에서도 맛의 차이가 날 수 있기 때문이다). 그렇게 최종 2개 후보가 나왔다. 그중 맛과 향 그리고 발효 속도가 가장 뛰어났던 NO.5 효모로 만든 제품이 지금의 원소주 클래식이다.

새로운 시도는 결과가 보장되지 않은 도전의 연속이지만 우리는 이런 시도를 즐긴다. 새로운 것이 있다면, 그것이 전통주를 위한 길이라면 언제든지 시동을 걸 준비가 되어 있다. 최초의 최초의 최초의 기록에 원스피리츠 이름을 새기고 싶다.

네이밍은 힘들다?!

전체 회의 시간 어젠다에서 항상 빠지지 않았던 안건이 하나 있다. 네이밍이다. 우리는 '원소주'라는 브랜드명이 있었기에 매번 제품을 새로 출시할 때마다 원소주의 굴레는 계속됐다. 원소주에 어울릴 만한 단어를 찾는 것은 쉽지 않은 일이었다.

우선 새로운 제품의 특징을 정리해보자. 전통 방식인 상압증류 방식을 선택했고, 전도율이 좋은 동 증류기를 사용했으며, 도수를 높였다. 원소주와 원소주 스피릿이 전통주를 알리기 위한, 대중화시킨 전통주였다면, 이번 제품은 '찐' 전통주에 더 가깝다고 할 수 있다. 그렇다 보니 이를 나타낼 수 있는 단어들이 후보에 올라왔다. 원소주 올드패션드 쿠퍼, 원소주 트레디셔널, 원소주 오리지널, 원소주 클래식 …. 올드패션드 쿠퍼는 증류기가 주는 가치를, 트레디셔널은 전통 증류 방식의 가치를 보여줘 긍정적인 반응이었다. 오리지널과 클래식은 기존 브랜드들에서 많이 사용하고 있어서 처음에는 관심받지 못한 이름이었다.

원소주 스피릿 네이밍 과정에서 봤듯이 우리의 네이밍 과정은 길고 긴 굴레지만 결정은 굉장히 심플하다. 계속 붙잡고 더 고민한다고 해서 좋은 브랜드명이 나오지 않는다는 것을 잘 알고 있기 때문이다. 후보가 좁혀지면 가장 느낌이 오는 걸로 선택한다. 거창한 브레인스토밍은 없다. 언제나 그랬듯 우리는 이성보다 본능에 충실한 편이다. 그렇게 결정된 이름이 '원소주 클래식'이다.

Classic

일류의, 대표적인, 유행을 안 타는, 명작 …

'클래식'이라는 단어가 품고 있는 모든 의미가 우리가 이번 술에 담고자 했던 것이다. '심플 이즈 베스트'라는 말도 있지 않은가. 부르다 보니 이만한 이름도 없는 것 같았다(박재범 대표의 의견이었지만, 그렇다고 우리가 대표이기에 손을 들어준 건 절대 아니다). 클래식이 붙으니 전통주를 알리고자 했던 우리의 책임감이 더 커지는 느낌이었다.

원소주 클래식. 상압증류 방식을 강조하기 위해 동 증류기를 상징하는 구리색 라벨을 적용했다.

모여라 혈맹원血盟WON

지금부터 할 이야기는 원소주와 피를 나눈 형제에 관한 것이다. 2022년 상반기 매출만 1조 원을 넘기며 동종 업계가 부진을 면치 못하는 상황에서도 전 세계 매출 순위 1위[♦]에 등극하는 저력을 보여준 이들, 바로 한국 벤처 1세대로 불리는 김택진이 이끄는 엔씨소프트와의 이야기다. 그동안 게임 업계는 고객 접점 확대를 위해 다양한 외부 제휴를 해왔으나 주류 브랜드와의 협업은 미미했다. 그래서인지 이들과의 작업이 더 기대됐다.

주인공은 마지막에 등장한다더니

브랜드와 협업을 한다면 모두가 시도하지 않은, 시도하지 못했던 방식으로 하고 싶었다. 22도에서 24도를 넘어 28도 고도수로 향해가는 원소주의 방향성에 맞으면서 유사한 타깃층을 가진 브랜드이길 바랐다. 가능하다면 팬덤이

♦ "엔씨소프트 '리니지M', 8월 전세계 구글플레이 매출 1위 등극", 게임뷰, 2022.09.19.

강하고 커뮤니티를 형성한 업체라면 더할 나위 없겠다고 생각했다. 원소주 클래식은 도수가 높기 때문에 술을 즐길 줄 아는 사람을 타깃으로 했다. 그렇다 보니 여자보다는 남성, 20대보다는 3040세대가 주요 타깃이다. 이런 조건들을 정리해보니 가장 근접한 업계가 게임이었다.

원소주는 여성 고객이 더 많다. 박재범 대표의 영향도 있겠지만, 새로운 트렌드에 빠르게 반응하고 움직이는 소비자층이 여성이기도 하고, 희석식 소주와 달리 향이 좋고 깔끔하고 부드러운 목 넘김으로 알코올 특유의 향과 맛을 싫어한 여성 고객의 취향을 저격했기 때문이다. 토닉워터와 섞어 마시거나 칵테일로 활용하기도 좋다. 원소주 스피릿도 2도가 올라가긴 했지만, 그 맛과 향은 유지했다. 하지만 원소주 클래식은 앞선 두 술과는 차이가 크다. 일단 향이 매우 다채롭고 맛은 묵직하다. 28도라고 느껴지지 않는 부드러움은 있지만, 식도를 타고 내려가는 타격감은 있다. 굳이 비교하자면 소주보다는 위스키에 더 가깝다. 때문에 이 술은 좀 더 진하고 강한 타격감을 원하는 남성들에게 잘 어울리는 술이다.

그들에게 소구하기 위해 우선 남성들이 좋아하는 것은 무엇인지 떠올려보자. 자동차, 스포츠, 시계, 게임 등 주요한 몇 가지가 생각날 것이다. 우리는 원소주가 협업했을 때 가장 어울리고 타깃이 유사하며 시너지 효과가 날 만한 것이 무엇인지 고민했다. 때마침 가장 잘나간다는 FPS 게임 업체에서 연락이 왔다. 하지만 법률 검토 단계에서 문제가 있어 자체적으로 취소했다. 그 와중에 국내 굴지의 게임 업체 대행사에서도 컨택이 들어왔는데, 그들은 태도가 무례했다. '우리가 협업해줄 테니 연락해'라는 식이었다. 협업은 함께 시너지를 내기 위한 작업이다. 누가 우위에 있고 누가 맞춰야 하는 일이 아니다. 메일로 거절 의사를 밝혔고, 얼마 지나지 않아 '왜 답이 없냐'는 황당한 답변을 받았다. 결국 그 게임 업체에서 일하고 있는 지인에게 직접 연락해 전후 상황을 설명하고 대행사를 바꾸는 게 좋겠다고 조언했다.

게임 업체들과 몇 차례 어긋나면서 이 분야는 인연이 아닌 것 같다는 생각이 들었던 2022년 4월의 어느 날, 엔씨소프트 리니지W 담당자에게서 메일이 왔다. 반신반의했지만 가장 협업하고 싶었던 게임 업체였고, 본사 담당자가 직접 연락한 것이어서 한껏 기대에 부풀어 메일을 확인했다. 러프한 내용이긴 했지만 그동안 우리가 생각하고 하고 싶은 것들이 전부 담겨 있었다. 첫 제안 메일에서 협업 계획이 머리에 그려질 정도였다. 우리는 바로 미팅을 잡았고, 그때가 2022년 4월 12일이었다.

게임 속 세계관을 현실로

나는 좋은 걸 숨기지 못한다. 리니지W 팀을 만난 첫 미팅에서부터 협업하고 싶었다. 그들은 우리의 머릿속에 중구난방으로 있던 것들을 이미 정리해 문서화했을 뿐 아니라 눈앞에 그려지게 만들어줬기에 이 협업을 망설일 이유가 없었다. 곧장 진행할 것들에게 대한 항목을 정한 후 빠르게 업무 협약을 체결했고 계약서 작성까지 순식간에 완료했다. '일 잘하는 사람들이 모여 있는 조직은 다르구나'라는 생각이 든 순간이었다.

시기는 원소주 클래식을 론칭하는 9월로 정하고 세부적인 것들을 준비하기 시작했다. 이번 협업에서 가장 중요했던 것은 세계관을 합치는 작업이었다. 리니지W에 원소주가 튀지 않게 들어가고, 현실 속 원소주의 세계관에 리니지W가 자연스럽게 녹아 들어가야 했다. 그러기 위해서 가장 먼저 필요했던 것은 세계관을 합쳤음을 공식적으로 알릴 수 있는 키비주얼이었다.

키비주얼이 나와야 광고 영상이 제작될 수 있고, '원소주 클래식×리니지W 에디션'을 포함한 한정판 패키지, 굿즈 등을 만들 수 있었다. 속도가 빠른 두 회사의 협업이었지만, 인[in] 게임상의 많은 부분들을 건드려야 했기 때문에 여유롭지 않았다. 현실 세계에서의 디자인 작업도 오래 걸리는데,

게임 속 세상은 오죽 많은 시간이 걸리겠는가? 게다가 리니지W가 인 게임상의 변화를 주며 협업을 진행한 것은 원소주가 처음이었다. 우리가 리니지W와의 협업에서 준비한 것은 크게 세 가지다.

첫째, 영상 콘텐츠다. 공개된 광고 영상에 대한 사람들의 반응은 높은 퀄리티에 놀랐다고 했다. 원래는 협업을 암시하는 티징 영상으로 마케팅을 시작한 후 본 광고 영상을 노출하고, 박재범 대표와 김택진 회장의 모어토크로 정점을 찍으려고 했지만, 해외 출장이 많은 두 사람이라 스케줄 조율이 쉽지 않아 이 부분은 빠졌다. 대신 원소주 클래식 라벨이 리니지W 에디션 라벨로 변하는 영상을 추가했다. 원소주 클래식 론칭을 리니지W 에디션으로 할 생각은 없었지만, 엔씨소프트의 결과물을 보고 하지 않을 이유가 없었다. 후반부 작업이 많이 소요되는 일이라 영상 준비는 5월부터 바로 돌입했다.

둘째, 인 게임상의 변화다. 리니지W는 중세 시대를 배경으로 스토리가 펼쳐지고, 원소주는 우리나라 전통 방식으로 만들어진 지역특산주라 게임 스토리에 원소주 클래식에 대한 이야기를 녹이는 데 이질감이 없었다. 인 게임상의 변화는 엔씨소프트에서 낸 아이디어를 따라가기만 하면 됐고, 그중 가장 인상적이었던 것은 혈맹 마크였다.

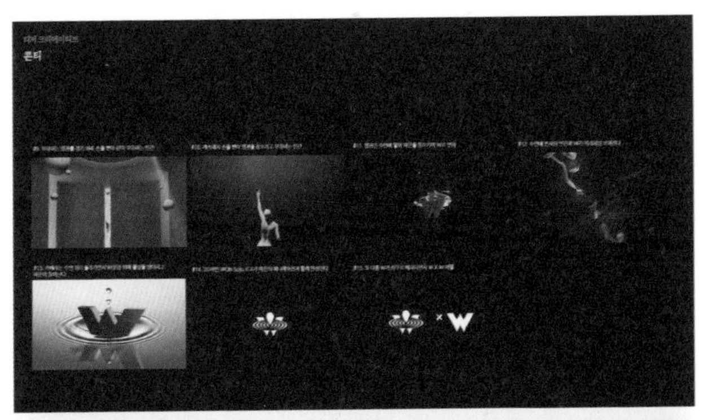

원소주×리니지W 광고 콘티. 원소주와 리니지W의 세계관이 어떻게 합쳐지는지를 담았다.

리니지W 인 게임상의 원소주. 원소주 퀘스트를 완료하면 원소주 아이템과 경험치를 획득할 수 있다.

리니지W의 혈맹 마크는 남다른 의미가 있다. 이 혈맹 마크가 어느 범위까지 적용되는지에 따라 희소가치가 달라지는데, 엔씨소프트와 협의해 이 마크를 달 수 있는 범위에 제한을 뒀다. 현재 WON 혈맹 마크의 가치가 어느 정도인지 짐작이 가는가? 이 마크를 취득하기 위한 경쟁이 인 게임상에서 얼마나 폭발적인지 경험해본 사람도 있을 것이다. 이뿐만 아니라 원소주 클래식×리니지W 에디션을 구매한 사람들에게 게임 쿠폰과 원소주 전용 스킨을 함께 줬고, 구매하지 않더라도 모든 사용자에게 원소주 펫을 선물했다.

셋째, 브랜드 아이덴티티를 합쳤다. 이 작업은 원소주 로고와 라벨을 디자인한 남무현 디자이너가 함께했다. 그가 작업한 결과물을 엔씨소프트가 3D화했는데, 리니지W의 상징이라 할 수 있는 군주는 원래 손에 밀을 들고 있지만, 원소주 에디션에는 쌀을 들고 있다(엔씨소프트 측의 배려였다). 그리고 원소주 타이포에 집행검을 관통시키며 원소주와 리니지W의 혈맹을 표현했다.

리니지W 에디션 탄생

원소주 클래식 론칭은 엔씨소프트와는 별개의 일이었다. 그런데 준비 과정에서 리니지W 에디션만 판매하는 것이 협업의 의미를 더 부각할 수 있을 것 같다는 판단이 섰다. 엔씨소프트 측도 이러한 우리의 결정을 반가워했다. 그렇게 원소주의 세 번째 제품인 원소주 클래식은 리니지W와 함께 론칭 작업에 들어갔다. 물론 아쉬운 점도 있었다. 원소주 클래식은 그동안 하지 않은 상압증류 버전으로 이를 알리고 더 부각하고 싶었지만 그러지 못했다.

2022년 8월 31일, 원소주 인스타그램 계정에 새로운 W와의 협업을 의미하는 영상을 공개했다. 그리고 다음 날인 9월 1일, 원소주 자사몰이 리뉴얼을 마치고 새롭게 오픈했다. 여기에는 원소주 클래식 페이지를 추가했고, 이와 함께 원소주 클래식 출시에 대한 보도자료를 배포했다. 이후 원소주 클래식 콘텐츠를 인스타그램에 하나씩 업로드했는데, 대부분의 사람들은 게시물을 보고 원소주 세 번째 제품이 곧 출시되는구나 생각했다고 한다.

2022년 9월 7일, 원소주 클래식이 리니지W 에디션으로 변하는 영상 공개와 동시에 여러 매체에 리니지W와의 협업을 공식화하는 광고 영상을 내보냈다. 8월 31일에 공개된 영상과 연결점을 찾은 사람들은 놀라움을 감추지 못했고, 엔씨소프트도 리니지W 업데이트 정보 공개 및 브랜드 협업에 대한 보도자료를 배포했다. 얼마 지나지 않아 각종 언론에서 우리의 협업 소식을 기사로

원소주 클래식×리니지W 에디션 라벨. 리니지에 등장하는 군주가 밀 대신 원소주의 원재료인 쌀을 들고 있고, 원소주 타이포에 리니지를 상징하는 집행검이 관통함으로써 하나의 세계관으로 합쳐졌음을 표현했다.

다뤘다.

곧 협업과 신제품에 대한 이야기가 곳곳에 전해졌고, 이 분위기는 고스란히 리니지 팝업 스토어로 전달됐다. 팝업 스토어가 종료된 9월 21일부터는 원소주 클래식×리니지W 에디션을 자사몰에서 판매하면서 오프라인에서 온라인으로 자연스럽게 분위기를 몰고 왔다. 기존 원소주 22도의 판매 방식과 동일하게 매일 한정 수량으로 판매됐다.

게임을 현실로 끌어내기 위해 리니지W 유저들에게 행운의 상징인 체스판과 체스말도 한정판 굿즈로 제작해 자사몰에서 판매했다. 체스판은 리니지W에서 특별한 아이템을 뽑을 때 배경이 되는 곳이다. 이 체스판이 빨간색으로 변하면 좋은 아이템이 나오는 것을 의미해서 리니지W 유저들에게는 행운의 상징이다.

진한 남자들이여 모여라: 혈맹WON TO VICTORY

리니지W와 협업을 준비하면서 욕심이 자꾸 생겼다. 몇 차례 팝업 마케팅에 관한 이야기가 나오긴 했지만, 일정이 촉박했기에 팝업 스토어까지 진행하기에는 무리가 있었고 비용도 만만치 않았다. 하지만 진행 과정에서 공유되는 결과물을 볼 때마다 팝업 스토어를 안 하기에는 너무 아쉬움이 남을 것 같았다. 엔씨소프트는 이때도 거침이 없었다. 협업을 표현할 수 있는 수단이라면 그게 무엇이든 가능하다고 했고, 우리는 그 즉시 더현대 서울에서 원소주 첫 론칭을 함께 작업한 오토매틱에 도움을 요청했다.

언제나 그렇듯 팝업 스토어는 장소 선정이 가장 어렵다. GS WON 팝업을 통해 기존 공간을 활용하는 것보다 새롭게 공간을 창출해내는 것이 더 효과가 좋다는 것을 알았기에 이에 초점을 두고 공간에 대한 회의를 진행했다. 문래동, 을지로 등 몇 군데 후보가 나왔지만, 후보로 본 건물들이 낮 시간대에 업무 공간으로 활용되고 있어 사람들의 대기 동선을 짜기에는 위험한 요소들이 많아 현실적인 문제로

혈맹원 모집 포스터.

포기할 수밖에 없었다. 대신 이번에는 아예 정공법으로 가기로 했다. 팝업 천국이라 불리는 장소로 들어가 그동안의 팝업을 뛰어넘어 보자는 생각으로 우리는 성수동으로 향했다.

팝업 천국답게 1순위와 2순위 공간은 이미 일정이 가득 차 있어 대관이 힘든 상황이었다. 여러 번 실사와 회의를 거쳐 복합문화공간 에스팩토리로 결정했다. 많은 브랜드들이 이미 팝업을 한 장소라 어떻게 원소주답고 리니지W답게 꾸밀지에 대한 고민이 필요했다. 지금까지 원소주 팝업은 체험을 위한 공간보다는 판매를 중심으로 만들었지만, 리니지W라는 게임의 특성을 살려 이번에는 체험 중심으로 가기로 했다.

원소주 클래식의 타깃은 박재범 대표와 내 또래의 남성이다. 리니지W의 유저 또한 3040 남성이 가장 많다. 우리는 커뮤니티가 강한 리니지W의 팬들을 원소주 팬으로 이어지도록 하고 싶었다. 이름하여 '혈맹WON TO VICTORY'. 이름부터 맨 케이브man cave 느낌이 물씬 나는 이곳은 그들만을 위한 진한 놀이공간이다. 하지만 여성들이 좋아할 만한 콘텐츠도 놓치지 않았다. 우리의 바람은 팝업 마케팅에 가장 빠르게 반응하는 여성들의 입소문이 남성들에게 닿는 것이었다.

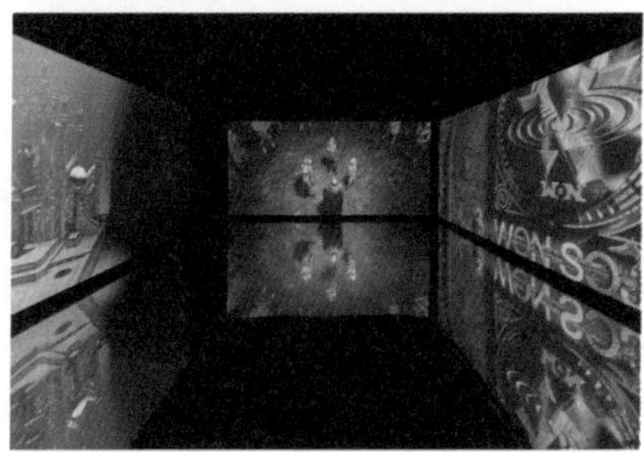

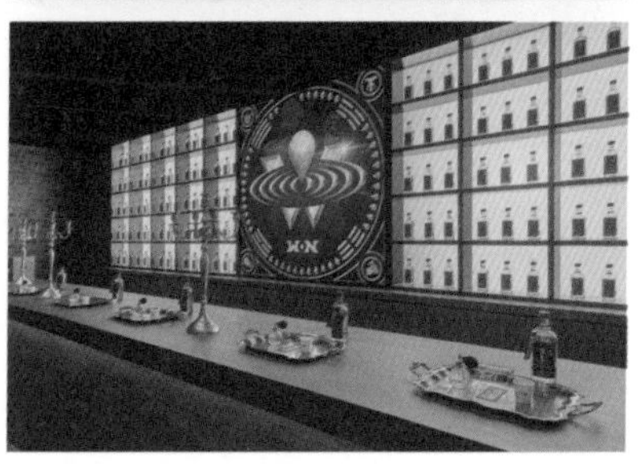

'WON' 깃발이 내걸린 리니지 팝업은 미디어월이 깔린 복도를 지나면 리니지W와 원소주의 컬래버레이션 영상과 게임이 즐비한 혈맹원 플레이그라운드, 원소주 올팩토리 테이스팅 바 등 눈, 코, 입이 즐거워지는 체험형 콘텐츠들이 가득했다.

팝업 스토어 2층 야외 테라스에서 운영한 WON Bar에서는 리니지W에서 영감받은 4종의 원소주 칵테일과 디제잉 공연을 즐길 수 있었다.

팝업 스토어는 리니지W 배경인 중세 시대로 타임머신을 타고 온 것 같은 느낌이 들도록 공간을 구성했고, 원소주 클래식을 최초로 시향, 시음할 수 있는 곳부터 포토존, 칵테일존, 게임존 등 지겨울 틈 없이 직접 체험하고 즐기는 것들에 중점을 뒀다. 팝업 스토어를 찾은 사람들만 누릴 수 있는 혜택도 놓치지 않았다. 팝업 스토어에서만 만나볼 수 있는 코치자켓, 지포 라이터, 혈맹원 티셔츠, 집행검 키링 등 다양한 스몰 굿즈들이 팝업 기간 내내 큰 인기를 끌었다.

프리 오픈을 포함한 5일간의 팝업 스토어는 1일 평균 1천 명 이상의 혈맹원들이 다녀가며 성대하게 열리고 완벽하게 마무리했다. 이후 원소주 자사몰에서 판매를 시작한 원소주 클래식×리니지W 에디션은 전일 완판을 기록했다(2022년 9월 21일~11월 24일까지). 2022년 11월 25일 리니지W 에디션 라벨이 다시 클래식 라벨로 돌아가는 영상 업로드를 끝으로 엔씨소프트와의 행복했던 협업의 여정은 종료됐지만, 그들과 다시 한번 새로운 판을 벌여보고 싶다.

혈맹원들의 밤. 리니지 VIP 고객만을 대상으로 진행한 프리 오픈 행사는 원소주와의 협업에 대한 리니지 유저들의 열기를 느낄 수 있는 시간이었다.

세상 모든 W와의 컬래버레이션을 위해

세상 모든 원과 W와 원 없이 원하는 대로 협업하기 위해 숨가쁘게 달려왔다. 협업 중에는 아쉽게 드롭된 것도 있고, 내년 이슈로 활발하게 논의 및 준비 중인 것들도 있다. 원소주와 함께하는 원팀 유니버스는 모두가 WON할 수 있을 때까지 계속될 것이다. 협업의 핵심은 단순한 말장난이 아니다. 모두가 함께 가지고 놀 수 있는 브랜드가 되는 것, 즉 브랜드 협업 자체가 놀이공원이 되는 것이다. 입장부터 퇴장까지 브랜드에 흠뻑 젖어 들 수 있는 공간을 만들고, 돌아가기 전 여운을 원소주로 달랠 수 있도록 연결하고자 한다. 놀이처럼 브랜드를 경험하면 브랜드에 대한 소비자 충성도가 높아질 것이고 이는 상품 구매 만족도에도 영향을 줄 것이다.

원하는 걸 할 수 없다면

2022년 3월 22일 ○○은행 MZ△△△팀(이하 MZ팀)을 은행 본사에서 처음 만났다. 나이스웨더 팝업이 끝난 직후였고, 온라인 론칭을 앞두고 있어 정신없던 시기였지만, 우리가 생각하는 방향에서 금융권 협업 파트너로 가장 적합하다고 여겼기에 무리한 스케줄이었지만, 미팅을 잡았다(당시 하루 평균 4개 이상의 미팅이 매일 잡혀 있었다). 혹시 은행의 마케팅팀을 만나본 적 있는가? 없다면 은행이 진행했던 마케팅을 본 적 있는가? 개인적으로 TV 광고 외에 특별히 인상적이었던 것은 없었다. 핀테크가 대세가 되면서 앱상에 수많은 크고 작은 이벤트들을 진행하는 건 봤지만, 새롭다고 느낄 만한 것들은 아니었다.

은행은 내게 그런 이미지여서 금융권은 보수적인 조직이고, 정형화된 조직이며, 올드할 것 같았다. 그런데 OO은행과의 첫 미팅에 나온 사람들은 나보다 훨씬 어려 보이는 사람들이었다. 그들은 자신들을 MZ팀 소속이라고 소개했다. MZ세대에게 맞는 마케팅을 하기 위해 2022년 신설한 조직이고, 은행 최초로 최연소 팀장(30대)이 발탁됐다고 했다. 팀 이름은 살짝 아쉬웠지만(웃음) 내가 생각해왔던 은행의 이미지와 정반대라 느낌이 좋았다.

그동안 협업 요청을 해온 금융권들은 원소주가 만들어낸 것들을 보고 뒤늦게 연락을 해왔는데, OO은행은 그렇지 않았다. 그들은 원소주 초반에 가장 먼저 연락해왔다. 우리는 그런 빠른 결단력이 좋았다. 때문에 첫 미팅에서 원소주의 원과 OO은행의 BI를 합쳐 원팀으로 공동 브랜딩을 하고 싶다고 제안했다. 내가 금융권과 협업하고 싶었던 이유는 딱 하나였다.

"원소주가 대출 금리를 낮춰준다?!"

상상해보자. 대체 소주가 뭐길래 금리를 깎아주는 거지? 은행과 소주라니. 둘 간의 연결성을 찾으려고 해도 머릿속에 잘 그려지지 않을 것이다. 우리는 이런 말도 안 되는 일을 벌이고 싶었다. 은행과 술은 떼려야 뗄 수 없는 관계다. 당신이 돈 때문에 울고 웃을 때 그 옆에 술이 있지 않았는가? 적어도 나는 돈 때문에 기분 좋았을 때 술과 함께했고, 돈 때문에 속상하고 화났을 땐 술이 위로가 됐다. 응원하는 야구팀이 우승하면 적금 금리가 올라가듯, 원소주를 마시면 적금 금리가 올라가는(혹은 대출 금리가 낮아지는) 상품이 나오지 못할 것은 없다고 생각했다.

또한 은행은 모든 사람이 이용하는 기관이다. 술을 마시는 사람에 한정되는 원소주에 비해 고객 범위가 넓다. 때문에 은행과의 협업은 원소주 대중화에 시너지를 낼 수 있는 부분이라 생각했다. ○○은행의 MZ팀은 새로운 시도를 하기 위한 준비가 되어 있었고, 우리가 생각했던 고정관념과 달리 유연한 조직 구조를 통해 빠르게 커뮤니케이션할 수 있을 것 같았다. 원스피리츠는 주류 브랜드 최초로 금융권과의 협업을 꿈꾸게 됐다.

하지만 우리의 부푼 꿈과 달리, 진행하면서 문제들이 하나씩 발생했다. 팀 자체가 기존에 다른 업무를 하던 사람들을 차출해 만든 TF팀 조직인 데다가 인력도 매우 부족한 상황이었다. 무엇보다 방향성이 조금씩 어긋나기 시작했다. 분명 첫 시작은 좋았다. 원하는 바도 같았다. 하지만 우리가 원했던 것과 다른 방향으로 그들의 노력이 이어졌고, 그렇다 보니 진행이 계속 밀리게 됐다. 결국 우리는 이 일을 전문으로 하는 대행사를 선정해 진행하는 게 좋을 것 같다고 제안했다. 다행히 MZ팀은 이를 이해했고, 대행사 선정에 돌입했다. 문제는 대행사 선정을 잘하고 싶은 마음에 입찰 공고에 원소주와 협업한다고 아주 구체적으로 낸 것이다. 그 덕분에 이 내용이 빠르게 기사화됐다. 협업에서 중요한 것은 비밀 유지다. 두 회사가 만나 진행하는 일이므로 관련 내용 공개 여부는 반드시 쌍방이 합의해야 한다. 우리는 이 협업을 계속할지에 대한 고민이 필요했다.

결론부터 말하자면, 이 협업은 진행되지 않았다. ○○은행 측도 많은 노력을 했지만, 이 일을 리드해야 한다는 부담감과 계속 지연되는 상황에 여기서 멈추는 것이 맞다고 판단했다(이외에 너무 많은 일을 하고 있던 시기이기도 했다).

쉽게 결정한 일은 아니다. 우리도 함께하고 싶은 곳이었기 때문에 이대로 끝내기에는 아쉬움이 컸다. 그래서 이미 오픈된 내용들을 역으로 이용해 아예 다른 접근을 해보는 걸로 다시 한번 의지를 다졌고, ○○은행과 대행사와 추가 미팅을 했다. 하지만 서로의 니즈가 너무나 다르다는 것만 확인하는 자리였다. 협업을 진행할 때 가장 중요한 건 방향성이다. 자신이 원하는 니즈를 명확하게 전달하고, 또 상대방이 원하는 것을 정확하게 파악해야 한다. 그렇지 않으면 잘해보자고 모인 자리에서 서로 얼굴만 붉히게 된다. ○○은행과의 협업은 그렇게 제대로 해보지도 못하고 끝이 났다. 모두에게 아쉬움이 남은 도전이었지만, 우리가 원하는 것을 할 수 없다면 멈추는 것이 맞다고 생각했다.

그럼에도 W는 계속된다

업역을 넘나드는 협업 실패를 경험하면서 에너지 소모가 너무 컸다. 열정 넘치게 달려오던 우리는 한순간 제동이 걸린 듯한 느낌이었지만, 원소주가 협업을 통해 소비자에게 하나의 놀잇거리를 제공해줄 수 있다면 계속되어야 한다고 생각했다. 이를 경험 삼아 2023년은 더 원소주다운 협업을 준비 중이다.

2022년은 유난히 취미 카테고리가 사람들의 높은

관심을 받았는데, 그중에서도 '오운완(오늘 운동 완료)' 등 건강 관리 열풍이 불면서 러닝, 산행, 트레킹 등 아웃도어 활동이 인기가 많았다. 원소주도 이러한 흐름에 맞춰 아웃도어나 스포츠 브랜드들과 협업을 계획하고 있다. 그 외에도 강원도 지역특산주라는 점을 살려 강원도 지역의 다양한 특산물, 음식 등과 함께하는 축제도 계획하고 있고, 강원도 동해에서의 워케이션에 앞장서며 회사원들을 위한 원소주 페스티벌도 고민 중이다. 수원 등 초반에 생각했던 원이 포함된 지역들과 동네 협업도 시도해볼 계획이다.

무엇보다 좋은 사람들과 적당히 즐기는 술 문화 확산에 앞장서기 위해 유통 방식에 대한 변화도 고려하고 있다. 좋은 사람들과 원소주로 담화를 즐기는 모습을 주변에서 많이 볼 수 있게 될 그날을 위해 원소주의 협업은 계속될 것이다.

전통주 상생 프로젝트

난 전통주가 좋다. 원소주를 만들면서 만난 업계 사람들, 전통주를 만드는 사람들에 대한 존경심이 생겼다. 사람들이 전통주를 더 많이 찾고, 전통주 업계의 시장 점유율이 높아지면, 우리 술의 경쟁력이 커질 것이고, 이는 국내뿐 아니라 세계 시장으로 나아갈 수 있는 기회가 될 것이다. 영화나 드라마도 장르의 다양성이 넓어졌기에 〈기생충〉이나 〈오징어게임〉이 나온 것처럼 원소주가 받은 이 스포트라이트를 지역 양조장과 함께 나눈다면 충분히 가능한 일이라고 생각한다.

2022년 국내 시장에 원소주가 안정적으로 자리를 잡으면, 2023년에는 목표로 했던 수출을 본격화하고자 한다. 그때 지역 양조장들과 함께 꼭 시작하고 싶은 일이 있다. 수출은 원소주 기획 당시부터 우리의 첫 목표였다면, 이 일은 원소주를 만들면서 새롭게 품은 목표다. 바로 전통주 상생 프로젝트다. 여행도 좋은 사람들과 함께 가야 더 즐겁듯이 원소주가 가고자 하는 그 길에 지역 양조장들이 함께한다면 더 의미 있을 것이다.

월간 원소주

우리나라에는 좋은 술이 많다. 잘 만든 술도 있고, 맛이 기가 막힌 술도 있다. 그렇다면 누군가에게 우리나라 술을 하나 추천한다면 어떤 술을 추천하겠는가? 우리 술 하면 어떤 술이 떠오르는가? 이 질문에 쉽게 대답한 사람이라면 정말 우리 술에 관심이 많은 사람일 것이다. 대부분 쉽게 대답하지 못한다. 이게 전통주의 현실이다.

우리는 그동안 아무도 하지 않았던 일을 해보려고 한다. 지역 양조장들에 원소주를 위탁 제조하기 위해 많은 양조장들과 미팅하면서 양조장들이 가진 특성뿐 아니라 여러 술들을 알게 됐다. 정말 맛있고 좋은 술들이 많았는데, 전통주에 관심 있는 나조차 처음 접해본 술들이 꽤 많았다. 안타까운 일이었다. 어떻게 하면 전통주를 더 많은 사람들에게 알릴 수 있을까?

2010년 가수이자 작곡가인 윤종신은 '월간 윤종신'이라는 프로젝트를 시작했다. 매달 신곡 한 곡을 발표하는 것으로 현재는 음원뿐 아니라 뮤직비디오, 디지털 매거진까지 발행한다. 지금은 다양한 업계에서 구독 서비스를 하고 있지만 당시에는 새로운 시도였다. 우리는 원소주에도 이 시스템을 도입하고 싶다.

일명 '월간 원소주'. 매월 다른 양조장과 협업해 그

양조장만의 특색 있는 제조법으로 원소주의 리미티드 에디션을 출시하고 싶다. 양조장 입장에서도 양조장을 소개함은 물론이고, 원소주와 협업한 술로 매출도 올리고, 양조장이 생산하는 술을 홍보할 기회가 될 것이다. 이것이 우리가 생각하는 '월간 원소주'의 큰 틀이다. 현실적으로 한 달에 한 번 새로운 술을 출시하는 것이 무리가 된다면 격월이나 분기로 기준을 만들면 된다.

술을 만들겠다고 했을 때 지역 양조장들의 도움을 많이 받았다. 이제는 그들에게 보답해야 할 때라고 생각한다. 옹기 생산을 담당해준 담을술공방, 에너지를 전해주는 한강주조, 애정으로 바라보고 도와주는 술담화, 든든한 지원군 대동여주도를 비롯해 원소주 준비 과정에서 인연이 된 풍정사계, 오산양조와 개인적으로 좋아하는 밀과노닐다 등 이들과 지역 양조장들이 허락한다면 특색 있는 소주를 만들고 싶다. 프로젝트가 자리를 잡는다면 소주 이외의 것들도 협업하면 좋을 것 같다. 이런 접근은 지역 양조장의 발전뿐 아니라 양조장이 위치한 지역의 발전, 지역 농민들의 발전에도 도움을 줄 것이다.

전통주 페스티벌

'월간 원소주' 프로젝트로 원스피리츠와 함께 길을

걸어가줄 '전통주 크루'가 탄생하게 된다면, 그들과 함께 전통주 박람회 및 주류 페스티벌에 참여하고자 한다. 우리 술 대축제나 와인 혹은 비어 페스티벌과 같은 주류 행사에 가본 적 있는가? 획일화된 부스에 제품을 전시하고 시음하는 게 전부다. 2022년에는 다양한 주류가 소비자의 사랑을 받으면서 많은 사람들이 직접 행사를 찾아와 즐겼다. 아쉽게도 원소주는 유통 안정화와 준비된 일정을 소화하느라 참여하지 못했지만, 2023년에는 적극적으로 참여할 예정이다.

다만 구역을 나눠 각 부스에서 자신들의 술만 홍보하는 것이 아닌, 여러 주류들과 화합해 함께 공간을 꾸미고 찾아온 사람들이 행사를 즐길 수 있는 다양한 재미 요소를 담고자 한다. 시음과 이벤트만이 아닌 한 번도 시도하지 않았던 디제잉과 비보잉 공연을 비롯해 체험형 이벤트 등을 준비할 생각이다. 우리는 그동안 여러 팝업 스토어를 진행하면서 쌓은 노하우들을 지역 전통주 업계에 공유하고 싶다. 여기에 박재범 대표의 공연이 더해진다면 이보다 금상첨화는 없을 거라고 본다. 그 어떤 페스티벌보다 전통주 박람회가 힙해지는 순간이 올 것 같지 않은가?

이런 술 문화가 자리 잡고 더 많은 사람들에게 알려진다면 전통주가 대한민국을 대표하는 진정한 주류가 되리라고 믿는다. 분명 세계적인 주류 브랜드 사이에 우리나라 술이 당당히 자리 잡게 될 것이다. 우리는 이들과 함께 세계로 나아가는 것을 목표로 하고 있다. 전통주 업계를 위해, 우리 술의 발전을 위해 원소주는 그 길을 개척하고자 한다.

5

WON데이

원소주는 현재진행형

2022년 2월을 시작(진짜 시작은 훨씬 전부터였지만)으로 2022년이 마무리되고 있는 현시점까지 원소주는 예상보다 훨씬 큰 사랑을 받았다. 덕분에 계획했던 제품 라인업을 구축해나갈 수 있었고, 원했던 업체들과 하고 싶었던 것들을 마음껏 할 수 있었다. 이제는 원소주를 시작했던 이유이자 목표였던 마지막 미션 하나만이 남았다. 바로 '글로벌화'다. 원스피리츠는 우리 술을 세계에 알리고 싶다는, 어찌 보면 불가능할 것 같은, 허무맹랑한 헛소리 같은 그 일을 하기 위해 지금껏 달려왔다. 논란을 일으키고 이슈에 휘말려도 멈출 수 없었던 것도 이 때문이다.

우리는 K-팝이 그랬던 것처럼, 우리나라 전통주가 세계 주류 시장에서 다른 좋은 술들과 함께 설 날을 꿈꾸고 있다. 여기에서는 원소주가 그리는 가까운 미래에 대한 계획을 담고자 한다. 이 중에는 이미 진행된 것들도 있고, 아직 계획 단계인 것들도 있으며, 계획까지 가지 못한, 우리의 바람과 의지를 내비친 것들도 있다. 이 모든 게 어떻게 현실이 되는지 앞으로도 계속 지켜봐주길 바란다.

45도 원소주?!

원스피리츠가 계획하고 있는 수출은 현지 마트나 현지인들이 즐겨 찾는 레스토랑이나 술집에 유통하는 것이 목표다. 현지 파트너와 손을 잡고 그들의 구미에 맞는 원소주를 공급하고 마케팅하는 것까지가 원스피리츠가 이루고자 하는 바다(그렇다고 해서 한인 마트나 한인 식당을 염두해두고 있지 않다는 것은 아니다. 세계적인 술이 되길 바랐기에 우선적으로 생각하고 있는 부분일 뿐이다). 여기서 중요한 것은 그들의 구미에 맞는 술이다.

외국인들의 술 문화를 생각해보자. 우리나라에도 이런 시스템을 적용한 곳들이 있긴 한데, 고도수의 술을 보틀bottle로 사서 한두 잔씩 마시고 남은 술은 킵keep해두고 이용한다. 바에 가면 벽면에 이름표가 붙은 술병이 나란히 진열되어 있는 것을 본 적 있을 것이다. 그 술들이 손님들이 킵해둔 술이다. 이런 술들은 대부분 40도가 넘는 고도수라 부어라 마셔라 하기 어려워 술의 맛과 향을 즐기면서 스트레이트로 조금씩 음미하며 마시거나 얼음을 채워 온더록스로 마신다. 굳이 보관하지 않고 다양한 음료와 섞어 칵테일로 마시는 방법도 있다(가장 대중적인 방법이다).

그렇다면 여기에는 어떤 술들이 있을까? 칵테일로 마시는 술에는 잭다니엘, 짐빔, 제임슨 등이 있고 술 자체의 향과 맛을 음미하면서 마시는 술에는 글렌피딕, 조니워커, 발베니 등이 있다. 앱솔루트, 스미노프, 그레이구스 등과 같은 보드카도 있다. 대부분 유럽이나 아메리카의 고도수 술이다. 이는 우리 술이 해외에서 경쟁력을 가지려면 고도수, 대용량의 술이 필요하다는 의미다.

처음 원소주를 만든다고 했을 때 51도로 나온다는 소문이 돈 적이 있다. 그때는 말도 안 되는 소리라고 했지만, 사실 고도수에 대한 계획은 이미 가지고 있었다. 미리 스포하자면 네 번째 제품의 도수는 45도로, 용량은 750ml다(원소주 375ml의 딱 2배 용량이다). 병은 기존 원소주 느낌은 유지하되 다른 디자인의 병을 고민하고 있다. 라벨은 가장 신중하게 고민하는 부분인데, 아무래도 기존에 출시한 원소주 라벨이 원소주의 스피릿을 가장 잘 표현하고 있어서 이번에도 새로운, 한 번도 시도된 적 없는 방법을 찾고 있다.

항상 그래왔듯이 고도수의 원소주도 하나의 제품으로 끝나지 않을 예정이다. 숙성 유무에 따라, 증류 방식에 따라 고도수 제품 라인업을 구축하고자 한다. 원스피리츠 양조장에 있는 코테 증류기를 활용한 리미티드 에디션도 준비 중이라 원소주라는 이름을 달고 나오는 다양한 고도수 술들을 조만간 만나볼 수 있을 것이다.

프리미엄 시장으로 유통 전개

원소주는 전통주를 알리기 위한 것이 목적이었고, 원소주 스피릿은 대중화가 목표였다. 그리고 원소주 클래식은 원소주를 통해 전통주에 관심을 갖기 시작한 사람들에게 전통주의 매력을 느낄 수 있도록 했다. 때문에 자사몰과 편의점이라는 접근성이 좋은 유통 채널을 선택했다. 하지만 원소주의 네 번째 제품은 고도수 술이라 기존 라인업과는 타깃층 자체가 다르다. 편의점이나 마트에도 고도수 술이 판매되고 있기는 하지만, 우리는 기존 원소주 라인업과는 다른 유통 방식을 택하고자 한다.

지금까지 커뮤니케이션이 오가는 유통처는 유명 바와 파인다이닝 레스토랑, 그리고 골프장이다. 언급한 유통처들은 모두 고도수의 원소주를 판매하고 싶다는 의사를 밝혀왔고, 우리는 원소주와 가장 잘 어울리는 업체와 무엇을 할지 고민 중이다. 원스피리츠는 이들과 단순히 유통만 하지는 않을 것이고, 지금까지의 원소주가 그랬듯 재미있는 일을 벌여볼 계획이다.

유명 바텐더와 고도수의 원소주를 활용한 새로운 칵테일을 만들어 공유하거나, 레스토랑과 컬래버레이션해 원소주와 어울리는 음식을 페어링한 기간 한정 '원소주 레스토랑'을 열 수도 있지 않을까 싶다. 그렇게 된다면 소비자들은 여러 바에서 원소주 칵테일을 만날 수 있을 것이고, 유명 위스키들 사이에 함께 놓인 원소주를 보게 될 것이다.

골프장은 유통처로서의 메리트도 있지만, 골프장을 찾는 사람들을 통한 입소문에 기대를 걸고 있다. 골프장은 우리도 생각하지 못한 유통처로, 골프장 측과 이용 고객들의 선 요청이 있었다. 최근 골프가 젊은 세대의 취미생활로 부상하면서 고급스러운 이미지에 젊은 이미지가 더해져 새로운 제품과 어울리는 유통처라는 생각이 들었다. 2023년에는 국내 유명 골프장에서 원소주를 만나볼 수 있지 않을까.

국내 양조장의 빛이 되다

우리는 술을 좋아했고, 그중에서 소주를 사랑했다. 그 마음으로 우리나라를 대표할 수 있는 술 브랜드를 만들고 싶었다. 그랬기 때문에 우리 것으로 만든, 전통 방식을 따른 증류식 소주를 선택했다. 전통주를 알리고 이 시장에 이바지해야겠다는 원대한 포부로 시작한 것은 아니지만, 원소주를 시작하면서 여러 전통주 업계를 알게 되고 한국 주류 시장의 구조를 보면서 새로운 목표가 생겼다. 좋은 술을 만들고 있음에도 시장 구조상 설 자리가 없었던 국내 양조장들이 빛을 볼 수 있도록 원스피리츠는 그들의 길잡이별이 되고자 한다.

원소주 양조장에 오신 걸 환영합니다

내가 증류주를 만들겠다고 결심한 계기는 스코틀랜드 증류소 투어였다. 그들이 가진 술에 대한 자부심, 술을 만들어가는 과정에서 느꼈던 장인 정신, 저장된 수많은 위스키를 보면서 받은 압도적인 느낌, 시음했을 때의 감동 등. 원소주를 시작하면서 원소주 양조장이 생긴다면 양조장 투어를 기획해 많은 사람들에게 우리의 이야기를 전달해야겠다고 생각했다(원스피리츠 양조장은 생산보다 R&D에 집중하고 있다). 쌀을 씻고 밥을 짓는 과정부터 발효하고 증류하고 숙성하는 모든 과정을 보여줘 증류식 소주가 얼마나 어렵게 탄생하는지, 증류식 소주는 왜 원재료의 향이 살아 있고 만드는 과정이 오래 걸릴 수밖에 없는지, 많은 양을 생산하기 어려운지 등 양조장 투어를 통해 글과 말로만 접했던 것들을 눈으로 직접 보고 체험할 수 있게 해주고 싶다.

우리는 원소주 공정에 자신 있다. 레스토랑이 자신들이 얼마나 음식에 진심을 다하고 정성을 쏟는지 보여주기 위해 오픈 주방으로 운영하는 것처럼 우리도 원소주에 담은 진심과 정성을 소비자에게 보여주려 한다. 백 마디 말보다 한 번의 경험이 낫다는 말처럼 이를 통해 더 많은 사람들이 증류식 소주에 대해 알게 될 것이라고 생각한다. 원소주 양조장을 방문한 사람들은 발효 과정에서의 원막걸리 상태의 술도 시음해볼 수 있을 것이다.

더 나아가 원스피리츠는 지자체들과의 협업을 통해 지역 양조장들을 관광명소로 만들고자 한다. 우리나라에는 크고 작은 양조장들이 많음에도 불구하고 외국처럼 양조장 투어 프로그램이 활성화되어 있지 않다. 우리는 원소주를 하면서 쌓은 마케팅 경험을 지역 양조장들과 공유해 사람들이 찾고 싶은 장소, 가고 싶은 공간으로 만드는 데 도움을 주고자 한다. 특별한 술과 굿즈, 포토존 등을 통해 젊은 세대의 유입을 기대해본다. 이는 양조장뿐 아니라 지역경제 활성화에도 도움이 될 것이다.

착한 플랫폼을 시작하다

유통에 대해서는 기존 방식과 다르게 가야만 했다고 이야기를 계속해왔다. 일반적인 음식점에 들어가서 원소주가 비싸게 팔리는 것을 바라지 않는다는 이야기도 했다. 그 이유는 우리나라 주류 유통 구조가 매우 단편적이기 때문이다. 술이 제아무리 경쟁력 있는 가격으로 나와도 현존하는 유통을 통해 판매되면 경쟁력을 잃어버린다. 온라인이라고 해서 다를 건 없다. 전통주, 지역특산주의 온라인 판매가 허용되면서 이를 취급하는 온라인 유통사들이 많이 생겼는데, 이들이 취하는 수수료는 양조장에 부담이 된다. 지금은 대형 유통사들이 전통주 판매에 경쟁적으로 뛰어들면서 시장의 판도를 흔들고 있지만 지역 양조장들이 감당해야 하는 수수료 부담은 크게 변하지 않을 것으로 보인다.

우리는 원소주를 만들면서 전통주들이 좋은

조건과 환경에서 유통할 수 있도록 새로운 판매 채널을 구축해야겠다고 생각했다. 원스피리츠 입장에서는 다양한 제품 라인업(원소주가 아니더라도)을 구축해 사람들이 플랫폼에 더 자주 방문하도록 하는 유인이 될 것이고, 양조장 입장에서는 과도한 수수료 부담 없이 판매 기회를 얻게 될 것이다. 원소주를 구매하려고 들어오든, 다른 전통주를 구매하려고 들어오든, 모두에게 윈윈win-win인 전략이다.

시장을 활성화하려면 독식 구조를 깨야 한다. 마포 전 골목, 신당동 떡볶이 타운처럼 전통주 시장의 부흥을 위해서는 모두가 함께 움직여야 한다. 이것이야말로 원소주를 통해 높아진 전통주에 대한 사람들의 관심을 지속할 수 있는 방법이다. 원스피리츠는 좋은 술들을 큐레이션해서 소개하고, 박람회도 나가고, 페스티벌도 여는 등 많은 계획을 짜고 있다. 머지않아 원소주 수출이 본격화되면 원소주 자사몰은 전 세계인이 접속하게 될 것이다. 그렇다면 수출의 판로까지도 함께 열어나갈 수 있지 않을까 하는 기대도 하고 있다.

금탑 산업 훈장을 노리다

내가 가장 많이 받았던 질문 중 하나는 앞으로의 목표에 대한 질문이다. 원소주를 하면서 정말 많은 기업의 견제를 받았다. 우리 입장에서는 처음부터 수출을 목표로 했기에 그들을 경쟁 상대라고 생각해본 적은 없다. 그저 우리로 인해 주류 시장이 다양성을 갖게 되고, 전통주에 대한 사람들의 관심이 높아진 것에 감사할 뿐이다. 같은 분야 업체들과는 오히려 서로 도움을 주고받으며 협력해왔다. 견제보다는 협업이 우리 술 발전에 더 도움이 되지 않을까 하는 마음이었다.

질문으로 돌아가자면 나는 항상 정량적인 목표와 정성적인 목표로 나누어 대답한다. 정량적인 목표는 금탑 산업 훈장을 받는 것이다. 금탑 산업 훈장은 국가 산업 발전에 기여한 공로가 있는 자에게 수여하는 것으로 금, 은, 동, 천, 석탑이 있다. 원소주라는 우리나라 전통주가 해외에서 큰 사랑을 받아 전 국민이 자랑스럽게 여길 수 있도록 수출을 잘하는 효자 기업이 되고자 한다. 축구계의 손흥민, 가요계의 BTS, 영화계의 봉준호처럼 우리나라 주류계를 대표하는 국가대표 소주가 되고 싶다. 우리는 오늘도 상상한다. 박재범 대표가 금탑 산업 훈장을 받는 모습을.

이제는 K-주류다!!!

2020년 가을, 원소주 프로젝트를 시작하고 이 글을 쓰는 지금까지 정말 쉴 틈 없이 숨 가쁘게 달려왔다. 2022년 출시 이후 온/오프라인 유통도 안정화됐고, 브랜드들과의 협업도 잘 진행되고 있으며, 다가오는 2023년에는 '원소주 수출'로 또 한 번 들썩거리는 한 해를 기대하고 있다. 수출을 위한 준비는 차근차근히 해왔고, 원소주를 수입하고 싶다고 이미 의사를 밝힌 세계 각국의 업체들도 있다. 하지만 탄탄대로가 펼쳐져 있다고 생각하지 않는다. 언제나 그렇듯 앞으로 가는 길에는 우여곡절이 있겠지만, 그럼에도 불구하고 목표를 이루는 원소주의 수출길에 함께 올라타보자.

딜리버리 캠페인

원소주 인스타그램 계정에는 매일 수백 개의 DM[Direct Message]이 온다. 개중에 해외에서 사는 사람들의 구매 문의가 꽤 큰 비중을 차지한다. 원소주 수출을 목표로 달리고 있다고 말하지만, 실제 수출길에 오르기까지 좀 더 시간이 필요했기에 그들을 위해 우리가 할 수 있는 일이 무엇이 있을지 고민했다. 아직 수출 전이기에 해외 배송으로 원소주가 세계 곳곳에 전달되는 것은 원치 않았고, 그렇다고 그들의 요구에 마냥 기다려 달라고 할 수도 없는 노릇이었다.

국내 최고의 여행 커뮤니티인 '여미'의 조병관 대표는 내가 여행 인플루언서로 활동할 때부터 알고 지낸 막역한 사이이다. 오랜만에 만난 그와 자연스럽게 안부를 묻다가 그의 입에서 '배달의 무도'라는 아이디어가 나왔다. MBC 예능 프로그램 〈무한도전〉에서 광복 70주년을 맞아 해외에 거주 중인 한국인들에게 따뜻한 밥상을 배달하는 기획 아이템이었다. '원소주를 해외에 배달하는 서비스라고?' 구미가 당겼다.

이 아이디어를 차용해 우리는 '원소주×여미 딜리버리 캠페인'을 기획했다. 여미는 국내에서 해외로 나가는 여행자들 중 원소주를 해외에 거주하는 사람들에게 배달해줄 사람을 모집하고, 우리는 해외에서 원소주를 받고 싶어하는 사람을 모집하기로 했다. 도시별로 여행자와 해외 거주자를 일일이 선정해서 매칭해야 하는 일은 생각보다 복잡한 작업이었지만, 암스테르담을 시작으로 카사블랑카, 런던, 라스베가스, 샌프란시스코, 시드니, 다낭, 보라카이, 몬테레이, 핼리팩스, 울란바토르, 방콕, 두바이까지 원소주×여미 딜리버리 캠페인 '여행과 미래를 응WON해'의 대장정이 시작됐다.

"원소주 덕분에 여행 시작부터 웃을 수 있었어요."

"원소주를 전달해줘서 고맙다며
하루 동안 가이드 투어를 해줬어요."

"카사블랑카에서 원소주를 맛본 사람은 저뿐이에요.
저는 행운아예요."

"몽골의 전통음식과 함께 먹기 너무 좋아요."

세계 각국에서 들려오는 후기에 유난히 뿌듯했던 캠페인이었다. 무엇보다 엄마와의 첫 해외여행, 신혼여행, 생애 첫 유럽여행, 해외에 사는 친구를 만나러 출장 겸 떠난 여행 등 자신의 소중한 여행길에 원소주와 함께해줘서 정말 감사했다. 해외 거주민들에게도 선물 같은 하루였을 것이다.

딜리버리 캠페인의 마지막은 박재범 대표가 장식했다. 공연차 영국 런던으로 떠나는 길에 박재범 대표가 여행자가 되어 5명의 해외 거주자들에게 원소주를 직접 전달했다. 여기에는 박재범 대표의 사인을 비롯해 박재범 공연을 직접 볼 수 있는 혜택도 주어졌다. 이 아이디어는 박재범 대표의 의지였다. 그는 늘 솔선수범하는 리더다. 언제나 더 높은 곳, 더 멋진 곳을 앞서 바라보고 있기에 일을 진행하다 보면 놀랄

원소주×여미 딜리버리 캠페인 포스터. 비행기를 타고 세계로 향하는 원소주를 담았다.

때가 많다.

전 세계 70여 개국에서 러브콜 오다

2021년 12월, 원소주 인스타그램의 프로필 사진을 바꾸자마자 팔로워가 급격히 늘어났다. 이어 수많은 국가에서 DM이 쏟아지기 시작했다. 원소주 출시를 해외에서도 기다리고 있다는 것을 그때 실감했다. 박재범 대표의 영향력이 가장 큰 이유일 것이다. 그는 월드투어를 다니며 세계 각국에 많은 팬을 두고 있는데, 그의 음악을 좋아하는 전 세계인들은 그가 시작한 원소주에 관해서도 관심이 높았다.

그런데 수출은 "이 제품을 수출하겠습니다"라고 해서 할 수 있는 것이 아니다. 국가적인 차원의 지원이 있다고 해도 물리적인 시간이라는 것은 필요하다. 국내에서 각종 허가도 받아야 하고, 수출을 위한 물량 확보도 해야 한다(지금까지 가장 많은 고충을 겪은 부분이기도 하다). 어떤 국가에 어떤 방식으로 수출할지 뿐 아니라 식품이기에 현지 국가에서의 인허가 문제도 있다. 그 모든 게 완료가 되면 국가별로 어떤 방식으로 유통하고, 마케팅할지까지 결정이 난 후에야 비로소 원소주가 수출길에 오를 수 있다.

현재 70개국 정도에서 수입하고 싶다는 의사를

(위) 원소주×여미 딜리버리 캠페인 패키지.
(아래) 박재범의 원소주 딜리버리 여행기 인증샷.

전달해왔다. DM, 공식 메일, 주변 연락, 회사로의 연락 등 론칭 전부터 평균 하루에 한 건 이상은 수출 문의가 들어온다. 같은 국가의 여러 회사에서 연락이 온 경우도 있다. 지금까지 연락해준 곳들은 모두 리스트업해뒀고, 원소주의 특징을 정확히 이해하고 국가별로 현지에 가장 잘 어울리는 유통을 전개할 업체와 함께할 계획이다.

재미난 에피소드들도 많았는데, 가장 많은 연락을 준 동남아 지역은 업체들끼리 이미 경쟁이 치열해 보였다. 서로 어떤 업체들이 제안했냐며 체크하기도 하고, 그 업체보다 자신들이 잘하는 것을 어필하기도 했다(너무 많은 업체의 연락을 받다 보니 이들이 말하는 업체들이 어딘지 전혀 알지 못한 상태였는데도 말이다). 북미와 남미는 굉장히 적극적인 스타일이다. 남미는 우리나라와 거리가 너무 멀기 때문에 이들의 연락은 신기했다. 아마 박재범 대표의 인기가 남미에서 유독 높아 이미 소식을 들은 것 같았다. 유럽에서는 현지인들을 대상으로 유통하고 마케팅하겠다는 업체들이 많아서 개인적으로 가장 뜻깊은 연락이었다.

가장 인상적이었던 국가는 인도와 몽골이다. 이 두 나라에서 증류주의 인기가 엄청나다는 것을 아는 사람은 별로 없을 것이다. 특히 몽골에서는 증류주 인기가 어마어마한데, 우리의 증류 기술이 이쪽에서 넘어왔다는 기록도 있다고 한다. 그래서인지 몽골에서는 유독 소주의 인기가 높다. 아직 최종 결정된 것은 없어 정확히 밝힐 수는 없지만, 현지인들이 술을 즐기는 장소에서 현지인들이 술을 즐기는 방식으로 원소주를 유통하고 마케팅하겠다는 업체와 손잡을 예정이다.

면세점 쇼핑 잇템을 목표로

인스타그램에서 원소주 해시태그를 타고 들어가보면 정말 많은 사람들이 원소주를 선물로 주고받는 모습을 볼 수 있다. 원소주를 구해달라는 청탁(?) 아닌 청탁이 곳곳에서 들어오기도 한다. 해외에 있는 사람들도 마찬가지다. 혹시 해외여행을 가거나 해외에 사는 지인을 만날 일이 있다면 원소주를 선물로 들고 나가보라. 엄청난 환대(?)를 받게 될지도.

생활 전반이 디지털화되면서 플랫폼들은 다양한 기능을 추가하고 있다. 그중 하나가 '선물하기' 기능인데, 커피 한 잔부터 명품까지 그 범위도 다양하다. 술도 가능하다. 원소주도 그 추세에 맞춰 11월 21일부터 '카카오톡 선물하기'에 입점했는데, 하루 만에 초도 물량 5만 병이 완판됐다. 입점 일주일 만에 식품 부문 랭킹 1위에도 올랐는데, 업계 관계자에 따르면 이례적인 일이라고 한다.

우리는 여기서 만족하지 않을 것이다. 원스피리츠가 꿈꾸는 '선물하기'는 한 걸음 더 나아가 면세점 입점이다.

업계에 따르면 면세점에서 가장 많이 팔리는 품목은 단연 화장품이지만, 2022년 다양한 주류 소비문화가 고가 주류로 확산하면서 다른 상품에 비해 가격 경쟁력이 있는 주류 매출이 큰 폭으로 증가했다고 한다. 우리는 이 시장에서 위스키 브랜드들과 어깨를 나란히 하는 게 목표다. 진행하게 된다면 고도수의 술이 될 것이고, 단품으로 들어가는 것은 의미가 없기에 기프트 세트나 면세점에서만 살 수 있는 특별 한정판이 될 것이다. 원소주가 '면세점에서 사는 잇템'이 된다면 K-주류의 붐이 시작되지 않을까.

세계의 중심에서 WON을 외치다

원소주 수출 계획 단계에서 글로벌 마케팅에 대해 논하는 것이 이른 감이 있지만, 지금까지 나눈 이야기들을 공유해보려 한다. 이 글을 읽은 누군가는 '불가능할 것 같다'고 말할지도 모른다(분명 그럴 것이다). 하지만 원스피리츠가 보여준 행보는 모두 불가능에서 시작했다. '박재범이 소주를 만든다고?', '월 100만 병 판매가 목표라고?', '소주와 게임의 조합이라고?' 원스피리츠는 상상을 현실로 만들었다. 앞으로도 가능한 한 누구도 생각하지 못한 방법으로 원하는 바를 현실화할 것이다. 자, 이제 전 세계를 원며들게 할 준비가 됐는가?

원소주 월드투어

원소주 수출은 총 4종의 라인업이 갖춰지는 시점에, 미국부터 시작하기로 했다. 미국에서 원소주의 등장을 알리는 방식에 대해서는 종종 논의가 이뤄졌는데, 여전히 고민 중이다. 단순히 유통을 먼저 하고, 마케팅하는 방식보다 국내에서 원소주를 알렸던 방법 그 이상으로 원소주만을 위한 특별한 자리를 만드는 것이 목표다. 셀럽과 관계자들을 초대하는 론칭 파티나 페스티벌 같은 형태보다는 좀 더 특별하게 열고 싶은 욕심이 있다.

박재범 대표가 원소주를 만들어야겠다는 생각을 하게 된 계기는 'SUJU'라는 노래였다. 그 노래를 부르며 미국 전역을 돌 때 "그게 네 브랜드야?"라는 질문에 원소주를 생각했다고 한다. 나는 박재범 대표의 월드투어가 다시 한번 진행된다면, 이때 원소주 월드투어를 함께 진행하고 싶다. 원소주의 출발점이자 원소주 수출의 시작이 같다면 이것만큼 의미 있는 일은 없을 것 같기 때문이다.

원소주가 출시 전부터 해외에서 관심을 받았던 이유도 박재범 대표의 월드투어가 큰 역할을 했다. 그는 월드투어 당시 오르는 무대마다 원소주 출시를 예고했고, 팬들과 업계 관계자들은 그의 행보를 지켜봤다. 덕분에 원소주는 큰 사랑을 받았고, 관련 소식은 해외로 빠르게 흘러 들어갔다. 우리가 그들에게 보답할 방법은 하루빨리 박재범 대표의 손에 원소주를 딸려 보내는 것밖에 없다.

원스피리츠는 이를 기점으로 본격적인 글로벌 마케팅 및 PR을 진행하며 유통을 전개하고자 한다. 해외 유통사와 논의해 현지에 적합한 온/오프라인 마케팅을 디테일하게 진행할 예정이다. 나라와 도시마다 술을 즐기는 방식이

다르고, 소비하는 장소도 다르며, 좋아하는 음식도 다르고, 원소주에 대한 관심도 다르다. 이에 맞게 개별적인 접근이 필요할 것으로 판단된다. 글로벌 1등 PR대행사 에델만의 한국 지사인 에델만코리아와 이야기를 나눈 적 있는데, PR이 필요한 국가들을 허브에서 관리하는 시스템으로 접근하면 체계적으로 전개해나갈 수 있을 것 같다.

이렇게 글로써 원소주 수출과 마케팅에 관해 이야기를 하니 가까운 미래에 이 모든 게 현실이 될 것만 같다. 원소주의 시작은 지금부터다.

컬래버레이션은 계속된다

래퍼 제이 지, 배우 라이언 레이놀즈, 조지 클루니, 드웨인 존슨과의 컬래버레이션을 예정하고 있는 것은 아니고, 이들과 함께하고 싶은 마음을 담아 이름이라도 불러 봤다. 앞서 언급했듯이 이들은 모두 자신의 술 브랜드를 가지고 있다. 원소주 관련 인터뷰를 할 때 많이 언급됐던 사람들이기도 하다. 우리는 이들과 얼마든지 컬래버레이션이 가능할 것이라고 생각한다. 늘 이야기하지만, 시작도 전에 못 할 일은 없다.

해외로 나가면 원스피리츠가 만들고자 했던 원WON 문화는 더욱 진화할 것이다. 우리는 원소주가 세계관을 가지고 수출되는 도시에서 그곳의 특성에 맞게 그 나라 사람들의 놀이가 되길 바란다. 원소주는 가지고 놀기 좋은 브랜드다. 해외라고 해서 달라지지 않는다. 우리 문화를 좋아해주는 사람들을 원팀으로 만들고, 글로벌 기업들과의 협업을 통해 원팀 프로젝트를 확장해나갈 것이다. 그들에게 '한국의 소주란 이런 것이다'라는 것을 명확하게 알리고, 증류주 카테고리에 소주가 있다는 걸 명확하게 포지셔닝하고자 한다. 그리고 소주 카테고리에서 가장 대표적인 술은 원소주가 됐으면 한다. 이게 원스피리츠의 계획이다. 이런 모든 과정들이 콘텐츠가 되어 각종 해외 채널들을 통해 많은 사람들에게 알려진다면, K-팝, K-드라마, K-무비가 대세가 된 것처럼 우리는 K-푸드 중 마지막 하나 남은 퍼즐인 K-주류를 대세로 만들어 우리 술과 음식을 즐기는 외국인들의 모습을 쉽게 보게 될 것이다.

요즘 뉴욕에서는 한국 음식이 인기다. 코리안 바비큐는 물론이고 포장마차까지 줄 서지 않은 곳이 없을 정도다. 그중에서도 아토믹스Atomix는 미국 내 수많은 음식점을 제치고 '더 월드 50 베스트 레스토랑'●이 꼽은 1등 식당이다(전 세계에서는 33위, 2022년 7월 기준). 한식당이 50위 내에 오른 건 20년 만에 처음이다. 지금 예약해도 반년 이상 걸린다는 이 식당은 유학파도 아니고, 해외 경험도 많지 않은 박정현, 박정은 한국인 부부가 운영한다. 박정현 셰프와는 원소주 론칭 전부터 함께 시음하며 앞으로의 협업에 대한 이야기를 지속적으로 나누었기에 미국에서 유통이 전개된다면, 아토믹스처럼 세계에 한식을 알리는 곳에서 시작해보는 것도 좋겠다고 생각했다. 원소주와 잘 어울리는 음식들을 구성해 한식과 한국 술의 조화로움을 많은 사람들에게 알릴 수 있는 기회가 될 것 같다.

조금 더 욕심을 부린다면, 카페 단테Caffe Dante와도 함께해보고 싶다. 카페 단테는 주류전문매체 더드링크비즈니스가 진행한 '월드 50 베스트 바 어워드'에서 1위를 차지한 바다. 500여 명의 음료 전문가들이 매년 '최고의 칵테일 스폿'을 선정하는데, 단테는 이탈리아 스타일 칵테일로 인기가 높다. 우리나라를 대표하는 바텐더들과 카페 단테의 바텐더들이 선보이는 원소주 칵테일은 상상만 해도 즐겁다. 앞으로 어떻게 전개가 될지는 아무도 모른다. 원스피리츠가 언제 어디서 상상을 현실로 만들지 계속 지켜봐주길 바란다.

♦ 미슐랭 가이드와 함께 세계에서 가장 권위 있는 레스토랑 평가서로, 음식, 서비스, 경험을 기준으로 선정한다.

에필로그

원하는 삶을 살고 싶다면

책을 쓰면서 원소주와 함께했던 지난 시간을 다시 한번 돌아볼 수 있었다. 이 일을 시작했을 당시 우리가 할 수 있는 것은 눈앞에 있는 일들에 최선을 다하는 것밖에 없었다. 그러다 보니 그때 내가 어떤 일을 했고, 그때 난 어떤 감정이었는지 등을 돌아볼 겨를이 없었다.

문득 그런 생각이 들었다. '그때가 아니라 몇 년 전이나 몇 년 후에 원소주라는 기회가 나에게 찾아왔다면 어땠을까?' 이렇게 해낼 수 없었을 것이다. 기회라는 것은 오는 것도 중요하고 잡는 것도 중요하지만, 그 기회가 왔을 때 준비가 되어 있는지가 가장 중요하다. 좋은 타이밍에 찾아온 기회를 잡았다 하더라도 기회를 성공으로 만드는 것은 다른 문제다. 준비되지 않았다면 기회가 온들 그 기회를 통해 이뤄낼 수 있는 것은 아무것도 없을 것이다.

나는 준비되어 있었다. 팀원이었을 때는 다양한 경험은 하되 고집을 내세우기보다 다른 사람들의 말을 경청하려 했고, 리더의 위치에 올랐을 때는 아집을 부리지 않기 위해 함께 일하는 사람들을 존중하려 노력했다. 때문에 원소주를 진행하면서 그동안 내가 함께했던 많은 사람들에게 도움을 받을 수 있었고, 그들의 도움은 가장 큰 힘이 됐다.

누구에게나 기회는 온다. 원소주 이상의 기회가 올 수도 있다. 하지만 그 기회를 원소주 이상으로 만들어내느냐는 자신에게 달려있다. 배움에 있어서 언제나 욕심내면 좋겠고, 경험을 함에 있어서 주저함이 없었으면 좋겠다. "인생은 용기의 양에 따라 줄어들거나 늘어난다"고 한다. 내가 좋아하는 말인데, 그래서 나는 더 나은 삶을 위해 언제나 남들보다 조금 더 용기를 내려 했다. 그리고 그 작은 용기들이 차곡차곡 모여 늘어난 덕분에 성장할 수 있었다.

나의 본 캐릭터는 여행자다. 원소주의 최종 목표를 이루고 나면 다시 여행자로 돌아갈 것이다. 한 가지 바람이 있다면 여행자로서 전 세계를 누빌 때 세계 곳곳에서 원소주를 만날 수 있길 바란다. 여행지에서 만난 사람들과 원소주 한잔을 나누며 슬쩍 내가 만든 술이라고 자랑스럽게 이야기할 수 있으면 좋겠다.

'원소주: 더 비기닝' 원소주는 이제 시작이다. 지금껏 달려온 시간보다 앞으로 가야 할 길이 훨씬 더 길지만, 원소주와 함께 달려준 많은 사람들이 있기에 오늘도 자신 있게 말할 수 있다. 원스피리츠의 앞으로의 행보를 기대해도 좋다고 말이다.

감사의 글

WON한 인생을 살 수 있게 해준 삶의 빛이자 은인인 박재범 대표님 감사합니다. 원소주는 원스피리츠 모두의 노력으로 여기까지 올 수 있었습니다. 함께 브랜드 가치를 공유하며 최고의 브랜드를 만든다는 자부심 하나로 여기까지 온 원팀의 김수혁 이사님, 김형섭 이사님, 차미지 실장님, 최준혁 님, 현한수 님, 김민선 님, 정은지 님, 김보성 님, 김진욱 님 감사합니다.

이분들이 없었다면 우리 술은 세상에 나오지 못했을 겁니다. 고헌정 차만회 공장장님, 구자겸 이사님, 주류종합연구소 심형석 소장님, 모월 김원호 대표님, 담을 이윤 대표님 감사합니다. 믿음의 끝없는 지지 덕분에 버텼습니다. 최승옥 회장님, 박정무 대표님, 박수연 부대표님 감사합니다.

원소주의 시작부터 지금 이 순간까지 원소주 일을 자기 일처럼 최선을 다해주신 최고의 파트너들인 남무현 형님, 이진복 형님, 샘바이펜 님, 레어벌스 님 포함 많은 아티스트분들, 윤영란 이사님 이하 온피알식구들, 전아름 실장님 이하 오토매틱 식구들, 김원선 대표님 이하 엘리펀트 식구들, 강현수 매니저님을 포함한 모어비전 식구들, 이상준 변호사님, 라벨, 병 등을 만들어준 많은 협력사 분들께 진심으로 감사드립니다. 원소주에서 가장 힘든 곳이 온라인 판매 및 운영이었을 텐데, 최선을 다해주신 파트너 심창현 팀장님 포함 랩헌드레드분들 감사드립니다.

함께 팝업 명당을 만들었던 현대백화점 하지수 바이어님 외 현대백화점 관계자분들, 나이스웨더 노승훈 대표님 외 CNP 관계자분들 진심으로 감사드립니다. GS25의 전폭적인 지지와 두 분이 없었다면 원소주는 문화가 될 수 없었을 겁니다. 한동석 차장님, 한구종 MD님 감사드리고 허연수 부회장님 이하 많은 GS25 관계자분들, BEPC 탄젠트분들 진심으로 감사의 말씀 전합니다.

WON을 신나게 가지고 놀 수 있게 만들어준 최고의 협업사들, 김현수 PD님, 최원석 팀장님 포함 엔씨소프트분들, 장성민 과장님, 박지영 BID님 포함 CNC분들, 조병관 대표님 이하 여미분들 감사합니다. 그 외 원소주에 많은 관심과 응원을 보내주신 브랜드들, 유통사들 진심으로 감사드립니다. 콘텐츠 하나 만드는 것이 얼마나 어려운 것인지 잘 알고 있습니다. 원소주가 세상에 나오고 많은 분들이 원팀이 될 수 있게 너무나도 멋진 콘텐츠들을 선물해준 PD님들, 작가님들, 기자님들, 에디터님들, 유튜버분들 및 콘텐츠를 제작하는 많은 분들께 존경의 마음을 담아 감사함을 전합니다.

강원도 원주 원소주인 것이 자랑스럽습니다. 앞으로 함께해나갈 것이 더 많을 것 같아 기대됩니다. 강원도 및 원주 공무원분들 감사드립니다. 출판사 미래의창과 공미향 디자이너님 그리고 김효선 에디터님의 헌신 없이는 책이 세상에 나올 수 없었을 것입니다. 진심으로 감사드립니다.

책이 세상에 나온 순간 가장 보고 싶었던 내 생애 전부였던 김임조 할아버지, 최봉자 할머니 감사합니다. 제 인생에 버팀목이 되어주신 김점조 작은할아버지 감사드립니다. 사랑하는 가족들, 친구들, 저와 인생을 함께 걸어준 많은 분들의 열렬한 응원 덕분에 여기까지 올 수 있었습니다. 감사합니다.

마지막으로, WON만 바라보고 달릴 수 있게 묵묵히 지지해 준 내 인생의 ONLY ONE 아내에게 진심으로 감사의 말을 전합니다.

원소주: 더 비기닝

원하는 것을 원 없이 즐기는 사람들의 한계 없는 도전

초판 1쇄 발행 2022년 12월 31일
초판 2쇄 발행 2023년 1월 15일

지은이 김희준
펴낸이 성의현
펴낸곳 (주)미래의창

편집주간 김성옥
책임편집 김효선
디자인 공미향
홍보 및 마케팅 연상희 · 이보경 · 정해준 · 김제인

출판 신고 2019년 10월 28일 제2019-000291호
주소 서울시 마포구 잔다리로 62-1 미래의창빌딩(서교동 376-15, 5층)
전화 070-8693-1719 **팩스** 0507-1301-1585
홈페이지 www.miraebook.co.kr
ISBN 979-11-92519-30-2 03320

※ 책값은 뒤표지에 있습니다.